Eliffant
yn yr Ardd

D0656432

Michael Morpurgo

Addasiad Emily Huws

Darluniau gan Michael Foreman

Nofelau eraill gan Michael Morpurgo gan Wasg Carreg Gwalch:

CEFFYL RHYFEL
LLYGAID MISTAR NEB

Argraffiad cyntaf: 2013

Rhif rhyngwladol:
978-1-84527-449-8

Mae'r cyhoeddwyr yn cydnabod cefnogaeth ariannol
Cyngor Llyfrau Cymru

Cyhoeddwyd gyntaf yn Saesneg yn 2010 dan y teitl *An Elephant in the Garden*
gan HarperCollins Children's Books,
77-85 Fulham Palace Road, Hammersmith, Llundain W6 8JB.

Cyhoeddwyd gan Wasg Carreg Gwalch,
12 Iard yr Orsaf, Llanrwst, Dyffryn Conwy, Cymru LL26 0EH.
Ffôn: 01492 642031
Ffacs: 01492 642502
e-bost: llyfrau@carreg-gwalch.com
lle ar y we: www.carreg-gwalch.com

Argraffwyd a chyhoeddwyd yng Nghymru

I Bella, Freddie
a Max

Rhan Un

Tinc y Gwir

1.

A dweud y gwir, dwi ddim yn meddwl y byddai Lizzie wedi dweud ei stori hi am yr eliffant o gwbl, petai enw Karl ddim yn Karl.

Byddai'n well i mi egluro.

Nyrs ydw i. Roeddwn yn gweithio'n rhan-amser mewn cartref hen bobl dafliad carreg i lawr y ffordd o'n tŷ ni: gwaith rhan amser am 'mod i eisio bod gartref er mwyn Karl, fy mab naw oed. Dim ond ni'n dau oedd 'na, felly roedd angen i mi fod yno i'w ddanfon i'r ysgol ac i fod yna erbyn iddo ddod adref. Ond weithiau, ar benwythnosau, roedden nhw'n gofyn i mi weithio oriau ychwanegol, a fedrwn i ddim gwrthod o hyd – roedd pawb yn gorfod gwneud yn ei dro. Felly, bryd hynny, os nad oedd gan Karl rywle arall i fynd neu fod rhywun ar gael i'w warchod, roedden nhw'n gadael i mi ddod ag o efo mi i'r gwaith.

Ar y dechrau roeddwn i'n poeni braidd – ofn y byddai rhywun yn cwyno, a sut byddai o'n gwneud efo'r hen bobl. Ond roedd o wrth ei fodd yno ac, erbyn gweld, roeddent hwythau hefyd. Yn un peth, roedd ganddo'r parc i gyd i chwarae ynddo. Weithiau byddai'n dod â rhai o'i ffrindiau efo fo i ddringo coed a chicio pêl ac i sgrialu o gwmpas ar eu beiciau mynydd. Yn fuan iawn roedd ymweliad y plant yn ddigwyddiad pwysig ar benwythnos, yn rhywbeth yr edrychai'r hen bobl ymlaen ato, gan hel at ei gilydd wrth ffenest yr ystafell eistedd i'w gwylio, am oriau'n aml. Pan fyddai'n bwrw glaw, arferai Karl a'i ffrindiau ddod i mewn i chwarae gwyddbwyll neu i wylio ffilm ar y teledu efo nhw.

Yna, ychydig wythnosau yn ôl, ar y nos Wener, bu'n bwrw eira'n drwm. Roedd yn rhaid i mi fynd i 'ngwaith drannoeth gan 'mod i'n gweithio shifftiau bore y penwythnos hwnnw. Felly roedd yn rhaid i Karl ddod hefyd. Ond doedd o ddim yn cwyno o gwbl. Daeth â hanner dwsin o'i ffrindiau efo fo. Roedden nhw'n mynd i sledio yn y parc, medden nhw. Doedd gan 'run ohonyn nhw sled ond roedden nhw'n defnyddio unrhyw beth fyddai'n llithro ar eira – sachau plastig, byrddau syrffio, a chylch rwber hyd yn oed. Yn fuan iawn fe sylweddolon nhw fod y pen-ôl llawn cystal â dim. Roedd y cartref nyrsio yn llawn chwerthin y bore hwnnw wrth i'r hen bobl eu gwylio'n cadw reiat allan yn yr eira. Cyn bo hir dirywiodd y sledio i fod yn gwffas peli eira, a'r hen bobl fel petaen nhw'n mwynhau hynny gymaint â Karl a'i ffrindiau. Bûm yn brysur drwy gydol y bore ond pan gefais gyfle i gael cip drwy'r ffenest, gwelais fod y

bechgyn yn codi dyn eira anferth yn union tu allan i ffenest yr ystafell eistedd a phawb wedi dotio'n lân.

Felly roeddwn i wedi fy synnu pan gerddais i mewn i ystafell Lizzie ychydig funudau'n ddiweddarach a gweld Karl yn eistedd ar erchwyn ei gwely yn ei gôt a'i het a'r ddau ohonyn nhw'n sgwrsio bymtheg y dwsin.

"O! Dyna chi," meddai Lizzie, yn amneidio arna i i ddod i mewn. "Ddywedsoch chi ddim fod gynnoch chi fab. A Karl ydi ei enw! Prin 'mod i'n credu fy nghlustiau. Ac mae'r un ffunud ag o hefyd! Sôn am debygrwydd! Mae'n anhygoel! Rydw i wedi sôn wrtho yntau am yr eliffant yn yr ardd, ac mae o'n fy nghoelio i." Ysgydwodd ei bys o 'mlaen i. "Dydach chi ddim yn fy nghoelio i. Wn i'n iawn. Does neb yn y lle yma'n fy nghoelio i. Neb heblaw Karl."

Gwthiais Karl o'r ystafell ac i lawr y coridor gan ddweud y drefn yn hallt wrtho am grwydro i mewn i ystafell Lizzie fel yna, heb wahoddiad. O edrych yn ôl, mae'n debyg na ddylwn i fod wedi fy synnu. Roedd Karl yn crwydro yma ac acw o hyd. Ond beth synnodd fi'n arw oedd ei fod o'i go'n las efo fi.

"Roedd ganddi hi eliffant," protestiodd yn uchel. "Ac roeddwn i ar fin cael clywed yr hanes." Ceisiodd ryddhau ei hun o'm gafael.

"Does 'na ddim eliffant, Karl," meddwn i wrtho. "Dychmygu mae hi. Fel yna mae hen bobl weithiau, yn mwydro'n aml ac yn cymysgu pethau yn eu pennau. Rŵan, ty'd yn dy flaen er mwyn y nefoedd."

Ches i ddim cyfle i egluro i Karl ynghylch Lizzie a'i stori eliffant nes i ni gyrraedd adref y pnawn hwnnw.

Dywedais wrtho 'mod i'n gwybod, o ddarllen cofnodion Lizzie, ei bod hi'n wyth deg dau oed. Roedd hi wedi bod yn y cartref am bron i fis, felly roedden ni'n dwy wedi dod i adnabod ein gilydd yn eithaf da. Gallai fod yn ddigon pigog, hyd yn oed yn biwis, gan dynnu'n groes i'r nyrsys eraill weithiau. Ond efo fi meddwn, roedd hi'n ystyriol ac yn gwrtais – wel, y rhan amlaf. Hyd yn oed efo fi gallai fod braidd yn benderfynol o bryd i'w gilydd, yn arbennig pan roddwn fwyd o'i blaen. Gwrthodai yfed digon hefyd, waeth faint fyddwn i'n ceisio'i pherswadio.

Mynnai Karl fy holi'n dwll amdani. "Ers faint mae hi yn y cartref?" "Be sy'n bod arni hi?" "Pam mae hi yn ei gwely yn ei hystafell, a ddim efo'r lleill?" Roedd o eisiau gwybod popeth, felly dywedais bopeth wrtho . . .

. . . sut roedd hi a fi wedi dod yn dipyn o ffrindiau, pa mor blaen ei thafod oedd hi, a minnau'n hoffi hynny. Ar ei diwrnod cyntaf yn y cartref meddai hi: "Waeth i mi ddweud y gwir wrthoch chi ddim. Dydw i ddim yn hoffi bod yma. Ddim o gwbl. Ond gan fy mod i yma, ac y byddwn ni'n gweld tipyn go lew ar ein gilydd, yna gewch chi fy ngalw i'n Lizzie."

Felly dyna'r hyn wnes i. Elizabeth oedd hi i'r nyrsys eraill, ond Lizzie oedd hi i mi. Syrthiai i gysgu'n aml. Gwrandawai ar y radio, a darllenai lawer o lyfrau. Doedd hi ddim yn hoffi i neb darfu arni pan fyddai'n darllen, hyd yn oed pan fyddai'n rhaid i mi roi ffisig iddi. Roedd hi'n arbennig o hoff o nofelau ditectif. Dywedodd wrtha i unwaith, yn brolio braidd, ei bod hi wedi darllen pob un wan jac o'r llyfrau roedd Agatha Christie wedi eu hysgrifennu.

Roedd y doctor, meddwn i wrth Karl, yn meddwl nad oedd hi wedi bod yn bwyta'n iawn ers wythnosau, misoedd efallai, cyn iddi ddod aton ni. Yn sicr, pan welais hi am y tro cyntaf edrychai fel petai'n ddim ond croen am asgwrn: wedi crebachu i gyd, yn wan ac yn fregus ddifrifol, ei chroen yn welw ac yn denau fel papur sidan dros esgyrn ei hwyneb, ei gwallt yn hufennaidd wyn ar y gobenyddion. Ond hyd yn oed bryd hynny, sylweddolais fod rhywbeth hynod o anghyffredin yn ei chylch: rhyw sioncrwydd, ei llygaid yn fywiog, a gwên sydyn yn goleuo'i holl wyneb. Wyddwn i ddim byd amdani. Doedd dim perthnasau yn dod i'w gweld. I bob golwg roedd hi'n hollol ar ei phen ei hun yn y byd.

"Mae hi'n eitha tebyg i Nain," meddwn i wrth Karl, yn ceisio egluro cyflwr ei meddwl gystal ag y medrwn. "Wyddost ti, fel llawer o hen bobl, mae hi braidd yn ffwndrus ac anghofus – fel pan mae hi'n sôn am yr eliffant. Mae'n paldaruo amdano o hyd, nid efo fi'n unig ond wrth bawb. 'Roedd 'na eliffant yn yr ardd, wyddoch chi,' meddai hi'n aml. Malu awyr mae hi, Karl. Wir i ti."

"Be wyddost ti?" meddai Karl, yn flin efo fi o hyd. "A beth bynnag, does dim ots gen i be wyt ti'n 'i ddeud. Dwi'n meddwl fod beth ddwedodd hi wrtha i am yr eliffant yn wir. Dydi hi ddim yn palu celwyddau. Wn i'n iawn. Dwi'n gallu deud."

"Sut felly?" gofynnais iddo.

"Am 'mod i'n eu rhaffu nhw fy hun weithiau, felly dwi bob amser yn gwybod pan fydd rhywun arall yn gwneud hynny, a dydi hi ddim. Dydi hi ddim yn mwydro fel mae

Nain chwaith. Os ydi hi'n deud fod ganddi eliffant yn ei gardd erstalwm, yna roedd ganddi hi un."

Doeddwn i ddim eisiau dadlau, doeddwn i ddim eisiau ei wneud yn fwy blin efo fi nag yr oedd o'n barod, felly ddywedais i ddim byd. Ond y noson honno gorweddais yn effro, yn meddwl tybed oedd hi'n bosib fod Karl yn iawn. Mwya'n y byd roeddwn i'n pendroni, mwya'n y byd y dechreuais feddwl efallai *fod* tinc y gwir ynghylch eliffant Lizzie.

Fore trannoeth yn y gwaith, a Karl a'i ffrindiau'n prancio drwy'r eira roedd yn demtasiwn mawr i fynd i mewn i holi Lizzie ynghylch yr eliffant, ond ches i ddim cyfle rywfodd. Meddyliais hefyd mai well peidio â phrocio oedd orau, peidio â tharfu. Edrychai fel petai'n berson preifat iawn, yn ddigon hapus yn ei distawrwydd ei hun. Roedden ni'n dwy wedi dod i arfer efo'n gilydd, a doeddwn i ddim eisiau difetha hynny. Wrth i mi fynd i mewn i'w hystafell, penderfynais y byddwn i'n gofyn iddi petai hi'n digwydd sôn am yr eliffant. Wnaeth hi ddim, ond holodd ynghylch Karl. Roedd hi eisiau gwybod popeth amdano. Yn arbennig pryd y byddai'n dod i'w gweld hi eto. Dywedodd fod ganddi rywbeth anghyffredin iawn, rhywbeth arbennig, i'w ddangos iddo. Roedd hi fel petai'n llawn cyffro, ond dywedodd nad oeddwn i sôn 'run gair wrtho. Er mwyn iddo gael tipyn o syndod, meddai hi.

Sylwais nad oedd hi wedi yfed dim o gynnwys ei gwydryn dŵr a dwrdiais hi'n dawel. Roedd hi wedi hen arfer â hynny. Cerddais heibio troed y gwely i gau'r ffenest. "Twt â chi, Lizzie!" meddwn. "Wyddoch chi'n iawn

y dylech chi yfed rhagor o ddŵr." Ond gwyddwn nad oedd hi'n gwrando arna i.

"Wnewch chi adael y ffenest ar agor, 'mach i?" gofynnodd. "Rydw i'n hoffi teimlo ias oer. Yn hoffi teimlo'r awyr iach ar fy wyneb. Mae'r lle yma braidd yn rhy boeth. Gwastraff arian llwyr." Gwnes fel yr oedd hi wedi gofyn, a diolchodd i mi – roedd hi bob amser yn gwrtais iawn. Erbyn hyn syllai allan drwy'r ffenest ar y plant. "Mae eich Karl chi wrth ei fodd yn yr eira. Ydi wir. Wrth edrych arno allan yn fan'na, rydw i'n gweld fy mrawd. Roedd hi'n bwrw eira y diwrnod hwnnw hefyd . . ." Tawodd. Yna aeth yn ei blaen. "Ar y radio bore heddiw, roeddwn i'n meddwl i mi eu clywed yn dweud mai Chwefror y trydydd ar ddeg ydi hi. Glywais i'n iawn?"

Edrychais ar fy ffôn symudol i gadarnhau hynny.

"Ddaw eich Karl bach chi i mewn i'm gweld i heddiw, tybed?" holodd wedyn. Swniai'n gwbl ddifrifol. "Gobeithio y daw o. Hoffwn ddangos iddo . . . rydw i'n meddwl y byddai ganddo ddiddordeb."

"Dwi'n siŵr y daw o," meddwn i wrthi. Ond doeddwn i ddim yn siŵr o gwbl. Gwyddwn yn iawn fod Karl eisiau clywed rhagor am yr eliffant, ond i bob golwg roedd yn cael gormod o hwyl yn yr eira tu allan i ddod i mewn. Soniodd Lizzie 'run gair arall am y peth wrth i mi ei hymolchi, a threfnu'r gobenyddion o'i hamgylch i'w gwneud yn gysurus. Hoffai i mi gymryd f'amser wrth frwsio'i gwallt. Fel yr oeddwn i wrthi, daeth cnoc ar y drws. Er mawr ryddhad i mi, Karl oedd yno ac yn amlwg roedd hi'n falch iawn o' i weld. Daeth i mewn yn fyr ei wynt ac eistedd i lawr wrth ei hochr, ei wyneb yn goch ac eira dros ei gôt i gyd ac yn ei wallt o hyd. Cododd ei llaw i frwsio'r eira o'i wallt. Yna cyffyrddodd ei foch â blaen ei bysedd. "Oer," meddai hi. "Roedd yn oer ar Chwefror y trydydd ar ddeg, Chwefror y trydydd ar ddeg . . ." Fel petai ei meddwl yn crwydro.

"Eich eliffant chi. Yr eliffant yn yr ardd. Roeddech chi'n mynd i ddweud ei hanes. Cofio?" meddai Karl.

Dyna pryd y sylweddolais fod Lizzie yn dechrau cynhyrfu braidd. Meddyliais efallai y dylai Karl fynd. "Gaiff o ddod yn ôl rywbryd eto," meddwn wrthi.

"Na." Roedd hi'n bendant iawn fod arni eisiau i ni aros, fod ganddi rywbeth roedd hi angen ei ddweud wrthon ni.

Felly estynnais gadair arall ac eistedd i lawr wrth eu hymyl. "Beth sydd, Lizzie?" gofynnais. "Ydi Chwefror y

trydydd ar ddeg yn arbennig o bwysig i chi?"

Trodd ei phen oddi wrthyf, yn methu rheoli na chuddio'r cryndod yn ei llais. "Dyna'r diwrnod y newidiwyd fy mywyd am byth," meddai hi. Cydiais yn ei llaw lipa, ond roedd y ffordd y gafaelai yn fy llaw innau yn ddigon i adael i mi wybod ei bod hi wir am i ni aros. Edrychodd allan drwy'r ffenest gan bwyntio.

"Edrychwch! Glywch chi'r gwynt yn chwythu drwy'r coed. Welwch chi'r brigau'n ysgwyd? Oes arnyn nhw ofn y gwynt, tybed? Dyna ddywedodd Karli bach y diwrnod hwnnw, fod ar y coed ofn y gwynt, fod arnyn nhw eisiau dianc, ond na fedren nhw ddim. Roedden *ni* yn medru dianc, meddai fo, ond nid y nhw. Roedd hynny'n ei wneud o'n drist iawn." Gwenodd ar Karl. "Fy mrawd bach i oedd Karli, ac rwyt ti'n f'atgoffa ohono. Mae hynny'n fy ngwneud i'n hapus iawn, dy fod ti yma, dwi'n 'i feddwl, ac ar y diwrnod yma hefyd. Felly medraf ddweud fy stori i wrthot ti, ein stori ni, stori Karli a minnau. Ond mae'n fy ngwneud i'n drist hefyd. Rydw i bob amser yn drist ar Chwefror y trydydd ar ddeg. Y gwynt yn y coed sy'n f'atgoffa i."

Roeddwn i wedi sylwi cyn hyn ei bod hi'n siarad mewn ffordd dipyn bach yn wahanol, yn dweud pob gair yn ofalus, ac yn siarad yn bwyllog mewn brawddegau llawn. Efallai fod ei henw'n ddigon cyffredin, ond roeddwn i bob amser wedi meddwl ei bod hi'n dod o'r Iseldiroedd, neu Lychlyn, neu'r Almaen efallai. Aeth ymlaen i ddweud: "Gwynt poeth oedd o, gwynt chwilboeth. Dydw i ddim yn credu mewn uffern, na nefoedd a dweud y gwir. Ond os medrwch chi ei ddychmygu, roedd yn wynt fel petai'n dod o ganol coelcerthi uffern. Roeddwn i'n meddwl y byddai'n ein llosgi'n fyw, pob un ohonom."

"Ond mis Chwefror oedd hi, meddech chi," torrodd Karl ar ei thraws. Gwgais arno, ond doedd Lizzie ddim fel petai'n malio o gwbl. "Mae hynny yn y gaeaf, yn tydi?" aeth Karl yn ei flaen. "Be dwi'n feddwl ydi, ble roeddech chi'n byw? Affrica neu rywle?"

"Nage. Nid yn Affrica. Ddywedais i ddim o'r blaen? Roeddwn i'n meddwl i mi ddweud." Yn sydyn edrychai braidd yn ansicr ohoni'i hun. "Roedd yna eliffant yn yr ardd. Oedd, wir, roedd yno un. Roedd hi'n hoffi tatws, llwyth o datws." Mae'n rhaid bod fy ngwên fingam wedi fy mradychu. "Dydach chi ddim yn fy nghoelio eto chwaith, nac ydach? Wel, wela i ddim bai arnoch chi. Mae'n debyg eich bod chi a'r nyrsys eraill yn meddwl fy mod yn ffwndro. Mai hen het honco ydw i, dipyn bach yn wallgo, wedi colli arni, fel maen nhw'n dweud. Mae'n ddigon gwir fod darnau ohonof ddim yn gweithio cystal erbyn hyn – dyna pam, mae'n debyg, fy mod i mewn yma, yntê? Fy nghoesau yn gwrthod gwneud beth rydw i'n ei ddweud wrthyn nhw weithiau. Fy nghalon hyd yn oed ddim yn curo fel y dylai hi. Mae'n sgipio ac yn ysgwyd yn anwadal, yn mynnu mynd ei ffordd ei hun gan wneud i mi deimlo'n chwil, yn benysgafn. Anghyfleus iawn. Ond mae'n rhaid i chi ddeall fod fy meddwl i'n glir fel cloch, yn finiog fel rasel. Felly os ydw i'n dweud fod eliffant yn yr ardd, roedd yno un. Does dim byd o'i le ar fy nghof i, dim byd o gwbl."

"Dwi ddim yn meddwl eich bod chi'n hanner pan nac

yn llai na llawn llathen o gwbl," meddai Karl, "nac yn benwan chwaith."

"Rwyt ti'n garedig iawn yn dweud hynny, Karl. Fe fyddi di a minnau yn ffrindiau da. Mae'n rhaid i mi gyfaddef na fedraf gofio fawr ynghylch ddoe, na hyd yn oed beth gefais i frecwast bore heddiw. Ond rydw i'n dy sicrhau di fy mod yn cofio'n glir sut roedd pethau pan oeddwn i'n ifanc. Rydw i'n cofio'r pethau pwysig, y pethau sy'n cyfri. Mae'n union fel petawn wedi eu hysgrifennu i lawr yn fy meddwl rhag i mi anghofio. Felly, rydw i'n cofio'n dda iawn – y noson cyn fy mhen blwydd yn un ar bymtheg oedd hi – pan edrychais drwy'r ffenest a'i gweld hi. Ar y dechrau dim ond ond cysgod mawr, tywyll oedd hi. Ond yna symudodd y cysgod ac edrychais drachefn. Doedd dim amheuaeth o gwbl. Eliffant oedd yno. Yn bendant iawn, eliffant. Wyddwn i ddim ar y pryd, wrth gwrs, ond roedd yn eliffant yma yn ein gardd yn mynd i weddnewid fy mywyd am byth, yn mynd i newid bywydau pawb yn fy nheulu. Gallech ddweud iddi achub ein bywydau ni i gyd hefyd."

2.

Oedodd Lizzie am funud neu ddau, yna gwenodd arna i'n wybodus, yn llawn cydymdeimlad. “Na, na, rydach chi'n rhy brysur i wrando arna i, 'mach i, rydw i'n gweld hynny,” meddai hi. “Mae'n rhaid i chi ddal ati efo'ch gwaith. Mae gennych gleifion eraill i edrych ar eu holau. Rydw i'n gwybod hynny. Roeddwn i'n fath o nyrs unwaith. Mae nyrsys bob amser yn brysur. Ga i siarad efo Karl. Medraf ddweud hanes fy eliffant i wrtho fo.”

Ond roedd yn rhaid i mi gael clywed ei stori. Os oedd yn cael ei chlywed, roeddwn innau eisiau ei chlywed hefyd. A'r gwir oedd fy mod i wedi synhwyro o dinc ei llais nad oedd hi'n dychmygu dim byd, a bod Karl yn iawn yn ei chylch hi. “Fedrwch chi ddim rhoi'r gorau iddi rŵan,” meddwn wrthi. “Dwi'n gorffen gweithio am hanner dydd ac mae hi bron yn hynny erbyn hyn. Felly ga i wneud fel y mynna i.”

“A ’dan ni eisiau clywed popeth am yr eliffant, yn tydan, Mam?” meddai Karl.

“Felly y cei di glywed, Karli. Rydw i’n meddwl y byddaf yn dy alw di’n Karli, fel fy mrawd bach. Yn union fel petait ti yn y stori,” meddai Lizzie. Pwysodd ei phen yn ôl ar y gobennydd. “Cefais fywyd eithaf hir, a digwyddodd nifer o bethau, felly gallai gymryd tipyn o amser. Bydd yn rhaid i chi fod yn amyneddgar. I ddechrau bydd yn rhaid i chi wybod enwau a llefydd. Elizabeth oeddwn i’n cael fy ngalw bryd hynny, neu Lisbeth fel yr oedd rhai pobl yn ei ddweud. Doeddwn i ddim yn Lizzie tan dipyn wedyn. Mutti oedden ni’n galw Mam bob amser. Fel y dywedais eisoes, roedd gen i frawd bach, tua wyth mlynedd yn iau na fi, Karli bach. Roedd o bob amser yn berwi o gwestiynau, cwestiynau diddiwedd. Ar ôl i ni ateb, byddai cwestiwn arall am yr ateb roedden ni newydd ei roi bob amser. “Ie, ond pam?” fyddai’n gofyn. “Sut? I beth?” Yn y diwedd bydden ni’n ddiamynedd efo fo, ac yn dweud, “Dim ond am fod pam yn bod,” wrtho. I bob golwg byddai’n fodlon ar hynny – wn i ddim pam.

Ganwyd Karli gydag un goes yn fyrrach na’r llall, felly yn aml roedd yn rhaid i ni ei gario, ond roedd o bob amser yn siriol. Yn wir, fo oedd clown y teulu, yn gwneud i ni chwerthin a chwerthin. Roedd o wrth ei fodd yn jyglo a gallai wneud hynny efo’i lygaid ar gau hefyd! Roedd yr eliffant wrth ei bodd yn ei wylio. Roedd fel petai hi’n cael ei mesmereiddio. Marlene oedd enw’r eliffant. Mutti gafodd roi enw iddi oherwydd roedd hi’n gweithio efo’r eliffantod yn y sw. Enwodd hi ar ôl cantores roedd hi’n ei hoffi, rhywun roedd llawer o bobl yn ei hoffi'r dyddiau hynny. Marlene Dietrich. Tybed glywsoch chi amdani hi? Naddo, mae'n debyg. Mae hi wedi marw erstalwm erbyn

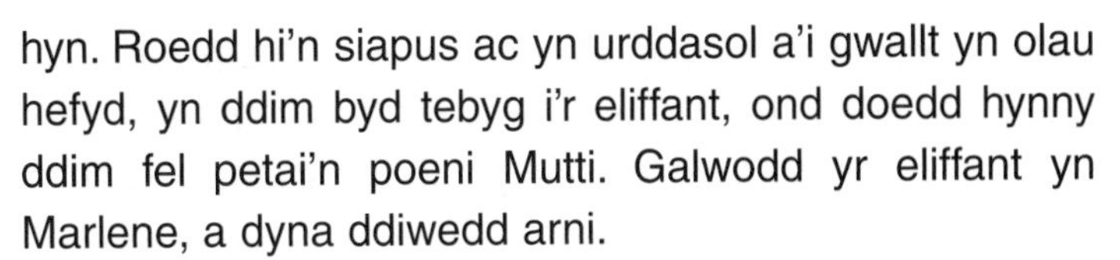

hyn. Roedd hi'n siapus ac yn urddasol a'i gwallt yn olau hefyd, yn ddim byd tebyg i'r eliffant, ond doedd hynny ddim fel petai'n poeni Mutti. Galwodd yr eliffant yn Marlene, a dyna ddiwedd arni.

Roedd gynnon ni gramoffon gartref, un efo corn mawr, y byddech chi'n ei weindio. Dim ond mewn siopau hen bethau maen nhw i'w gweld erbyn hyn. Felly roedd llais Marlene Dietrich i'w glywed yn y tŷ bob amser a ninnau'n tyfu i fyny efo'r llais hwnnw. Roedd ganddi lais fel melfed coch tywyll. Pan ganai hi roedd fel petai'n canu ar fy nghyfer i'n unig. Ceisiais i ganu'n union fel hi, yn y bath y rhan amlaf oherwydd roedd fy nghanu'n swnio'n well yn y bath. Weithiau byddai Mutti yn hymian efo'r caneuon pan oedden ni'n gwrando arnyn nhw. Roedd yn debyg i fath o ddeuawd.

"Ond beth am yr eliffant?" torrodd Karl ar ei thraws wedyn, heb drafferthu i guddio ei fod yn ddiamynedd. "Be dwi'n 'i feddwl, pam roedd yr eliffant yma yn eich gardd chi yn y lle cyntaf? Ble roeddech chi'n byw? Dwi ddim yn deall."

"Ie. Rwyt ti'n iawn, 'ngwas i," meddai hi. "Roeddwn i'n rhuthro ymlaen yn rhy sydyn." Bu'n meddwl yn hir ac yn galed, yn rhoi trefn ar ei meddyliau cyn ailddechrau.

"Byddai'n well efallai petawn i'n dechrau eto, rydw i'n meddwl. Dylai stori bob amser ddechrau o'r dechrau. Oni ddylai? Byddai dechrau efo fi yn beth da, rydw i'n meddwl . . .

Fe'm ganwyd ar y nawfed o Chwefror yn un naw dau naw, yn Dresden, yn yr Almaen. Roedden ni'n byw mewn tŷ eithaf mawr, gyda gardd fawr a mur uchel o'i chwmpas yn y cefn, pwll tywod a siglen. Roedd yno gwt pren lle roedd y pryfed cop mwyaf yn y byd yn byw! Rydw i'n dweud y gwir! Roedd yno lawer o goed uchel, coed ffawydd, lle roedd y colomennod yn cwynfan yn yr haf, yn union tu allan i ffenest fy llofft. Ym mhen draw'r ardd roedd giât haearn rydlyd gyda cholfachau anferth gwichlyd. Roedd y giât hon yn arwain at barc mawr. Felly, mewn ffordd, gallech ddweud fod gynnon ni ddwy ardd, un fechan i ni'n hunain, ac un fawr roedd yn rhaid i ni ei rhannu efo pobl Dresden i gyd.

Bryd hynny, roedd Dresden yn ddinas fendigedig. Fedrwch chi ddim dychmygu pa mor hardd oedd hi. Dim ond i mi gau fy llygaid gallaf ei gweld eto, yn union fel yr oedd hi. Roedd Papi – dyna oedden ni'n galw ein tad ni – yn gweithio yn y ddinas, yn adfer lluniau yn y galeri. Roedd o'n ysgrifennu llyfrau hefyd, am Rembrandt yn arbennig. Rembrandt oedd ei hoff arlunydd. Fel Mutti roedd yntau'n hoffi gwrando ar y gramoffon, ond roedd yn well ganddo Bach na Marlene Dietrich. Y peth gorau un ganddo oedd mynd ar y cwch, ac roedd wrth ei fodd yn pysgota hefyd. Roedd hynny'n well na Rembrandt a Bach hyd yn oed, meddai fo. Ar benwythnosau roedden ni'n arfer mynd yn y cwch ar y llyn yn y parc, ac yn yr haf roedden ni'n cael picnic ar y lan. Picnic cerddorol! Roedd picnic cerddorol wrth fodd calon Papi – a ninnau i gyd hefyd. Bob gwyliau, roedden ni'n mynd ar y bws i gefn gwlad i aros efo Yncl Manfred ac Anti Lotti ar eu fferm. Chwaer Mutti oedd Anti Lotti. Roedden ni'n bwydo'r anifeiliaid ac yn cael picnic yno hefyd. Cododd Papi dŷ coeden i ni ar ynys allan yng nghanol y llyn. Erbyn meddwl, roedd yn debycach i bwll mawr nag i lyn. Roedd brwyn o'i amgylch ym mhobman ac roedd yno hwyaid a ieir dŵr, llyffantod a phenbyliaid a silidóns bach chwim. Roedd cwch rhwyfo bychan i fynd ar draws i'r ynys, a digon o frithyll i'w pysgota yn y ffrwd a redai i lawr i'r llyn bychan. Felly roedd Papi yn hapus.

Weithiau ar ddiwedd y cynhaeaf, byddai pawb yn mynd allan i'r cae i gasglu gweddill y grawn euraid o'r sofl. Bob cyfle roedden ni'n ei gael ar nosweithiau o haf, byddai Karli a minnau'n cysgu i fyny yn y tŷ coeden ar yr ynys. Gorweddai'r ddau ohonon ni'n effro, yn gwylio'r lleuad yn hwylio drwy'r cymylau, yn gwrando ar y gramoffon yn chwarae draw ymhell yn y ffermdy ac ar y tylluanod yn galw ar ei gilydd.

Roedden ni'n hoffi'r anifeiliaid, wrth gwrs. Ffefrynnau Karli bach oedd y moch a Tomi, ceffyl Yncl Manfred. Byddai Karli'n mynd i farchogaeth bob dydd o gwmpas y fferm efo Yncl Manfred a minnau'n mynd ar gefn fy meic ar fy mhen fy hun. Ro'n i'n mynd am oriau ac ro'n i wrth fy modd yn rholio ar wib i lawr yr allt, y gwynt ar fy wyneb. Amser breuddwydiol braf, yn llawn heulwen a chwerthin. Ond dydi breuddwydion byth yn para, nac ydynt? Ac weithiau maen nhw'n troi'n hunllefau.

Cefais fy ngeni cyn y rhyfel, wrth gwrs. Ond pan fyddaf yn dweud hynna, mae'n swnio fel petawn i'n gwybod drwy'r adeg pan roeddwn i'n tyfu i fyny fod rhyfel yn mynd i ddod. Ond nid felly yr oedd hi. Dim o gwbl. Dim i mi. Oedd, roedd sôn am ryfel, a llawer o ddynion mewn lifrai ar y stryd, baneri yn cyhwfan a bandiau yn martsio i fyny ac i lawr yn aml. Roedd Karli wrth ei fodd efo'r cyfan, yn martsio efo nhw, hyd yn oed pan oedd y bechgyn eraill yn ei wawdio a'i watwr. Roedd o mor fychan ac eiddil ac yn dioddef yn ddifrifol o asthma. 'Coes Glec' oedden nhw'n ei alw am ei fod yn gloff, ac roeddwn i'n eu casáu am ddweud hynny. Gwaeddwn arnyn nhw, hynny yw, pan fyddwn yn teimlo'n ddigon dewr. Yr anghyfiawnder oeddwn i'n ei gasáu fwyaf – nid y gwawd ar eu hwynebau a chreulondeb eu geiriau yn unig. Nid ar Karli roedd y bai iddo gael ei eni fel yna. Ond doedd o ddim eisiau i mi gadw'i gefn. Byddai'n ddigon blin efo fi am greu helynt. Dydw i ddim yn meddwl ei fod yn malio hanner cymaint â fi yn eu cylch.

Rydw i'n meddwl fy mod i bob amser wedi teimlo'n gryf ynghylch anghyfiawnder a chwarae teg, o beth sy'n iawn a beth sydd ddim. Efallai ei fod yn naturiol i blant gael eu geni fel hyn. Efallai i mi ei gael gan Mutti. Pwy a ŵyr? Beth bynnag, roeddwn i bob amser yn adnabod anghyfiawnder pan welwn o, ac yn ei deimlo i'r byw. Credwch chi fi, roedd digon ohono o gwmpas y dyddiau hynny. Gwelais yr Iddewon ar y strydoedd efo'r sêr melyn wedi'u gwnïo ar eu cotiau. Gwelais eu siopau efo Seren Dafydd wedi'i phlastro dros y ffenestri. Amryw o weithiau fe'u gwelais yn cael eu dyrnu gan filwyr Natsïaidd a'u gadael i orwedd yn y gwter.

Gartref, doedd Papi ddim yn hoffi i ni sôn am bethau fel hyn, am unrhyw beth politicaidd – roedd yn bendant

iawn ynghylch hynny. Gwyddai pawb am y pethau dychrynllyd roedd y Natsïaid yn eu gwneud, ond dylai ein cartref fod yn hafan o heddwch a harmoni mewn byd cythryblus, meddai Papi. Roedd sôn am bethau erchyll yn gwneud Mutti'n ddig neu'n drist, neu'r ddau beth gyda'i gilydd, ac roedd Karli bach yn llawer rhy ifanc i ddeall y fath bethau. Beth bynnag, meddai Papi, wyddoch chi byth pwy sy'n gwrando. Ond ar y fferm ar ein gwyliau un haf – haf un naw tri wyth oedd hi – bu Mutti a Papi, Yncl Manfred ac Anti Lotti yn dadlau'n hir ac yn ffyrnig. Roedd hi'n hwyr yn y nos a Karli a fi wedi mynd i fyny'r grisiau i'r gwely. Fe glywson ni bob gair.

Roedd Yncl Manfred yn taro'r bwrdd, a chlywais y dagrau dig yn ei lais. "Mae'r Almaen angen arweiniad cryf," mynnodd. "Heb ein Führer, heb Adolf Hitler, aiff y wlad rhwng y cŵn a'r brain. Fel Hitler ei hun, rydw i wedi ymladd yn y ffosydd. Roedden ni'n gyd-filwyr. Lladdwyd f'unig frawd yn y rhyfel a'r rhan fwyaf o'm ffrindiau. Oedd yr holl aberth yna yn ofer? Yn wastraff llwyr? Rydw i'n cofio'r cywilydd o gael ein trechu, ac fel yr oedd pobl yn llwgu ar y strydoedd ar ôl y rhyfel. Roeddwn i yno. Gwelais y cyfan efo fy llygaid fy hun. Coeliwch chi fi, y llywodraeth yn Berlin a'r Iddewon a fradychodd y famwlad a'r fyddin. Rŵan mae Hitler yn adfer balchder ein cenedl, yn gwneud pethau'n iawn eto."

Doeddwn i erioed yn fy mywyd wedi dychmygu y gallai Yncl Manfred fod mor ddig. Roedd Mutti o'i cho'n las hefyd. Galwodd o'n 'ein dumkopf' – ystyr hynny ydi twmffat neu ffŵl. Galwodd Hitler yn wallgofddyn. Llywodraeth y Natsïaid oedd y peth gwaethaf ddigwyddodd i'r Almaen erioed, meddai hi. A bod gynnon ni lawer o ffrindiau annwyl oedd yn Iddewon, a phetai Hitler yn dal ati fel hyn, byddai'n ein harwain i gyd i ryfel arall.

Atebodd Yncl Manfred, yn brygowthan yn gwbl wallgo erbyn hyn, ei fod yn gobeithio y byddai rhyfel, er mwyn i ni'r tro yma ddangos i'r byd fod yn rhaid parchu'r Almaen. Yna, er mawr syndod i mi, ymunodd Anti Lotti dawel yn y ddadl, yn dweud fod Mutti yn llwfr, yn 'ddim ond heddychwraig wirion yn caru hen Iddewon afiach'. Dywedodd Mutti wrthi'n bendant iawn ei bod hi'n ymfalchïo ei bod yn heddychwraig, ac mai heddychwraig fyddai hi tan ddydd ei marwolaeth. Drwy hyn i gyd gwnaeth Papi ei orau glas i dawelu'r dyfroedd.

"Rhydd i bawb ei farn," meddai. "Ac i bob barn, ei llafar. Ond un teulu ydan ni i gyd. Almaenwyr. Dylai pawb gadw efo'i gilydd, beth bynnag ydan ni'n ei feddwl." Doedd neb yn gwrando arno.

Bu dadlau dig drwy'r rhan fwyaf o'r noson. A dweud y gwir, ar y pryd doeddwn i'n deall fawr am beth roedden nhw'n ffraeo – dim ond digon i wybod mai ar ochr Mutti oeddwn i. Deallai Karli lai na mi hyd yn oed, ond roedden ni'n dau wedi cynhyrfu ac wedi synnu eu clywed mor flin gyda'i gilydd, ac yn gweiddi fel yna. Wrth feddwl am y peth rŵan, sylweddolaf y dylaswn i fod yn gwybod mwy am beth roedden nhw'n ei ddweud. Ond doeddwn i ddim bryd hynny. Dim ond geneth yn ei harddegau yn tyfu i fyny oeddwn i, mae'n debyg. Oeddwn, roeddwn i'n casáu'r pethau dychrynllyd roeddwn i wedi gweld y milwyr yn eu gwneud ar y strydoedd, ond y gwir ydi – ac mae gen i gywilydd o hyn rŵan – fod gen i lawer mwy o ddiddordeb mewn bechgyn a beiciau nag mewn gwleidyddiaeth, a mwy mewn beiciau na bechgyn, mae'n rhaid i mi ddweud.

Dydw i ddim yn meddwl i mi ddeall mor ddifrifol oedd y ddadl tan y bore wedyn. Pan ddaeth Karli a minnau i lawr y grisiau i'r gegin i gael brecwast, roedd Mutti wedi pacio'r cesys i gyd. Roedd hi yn ei dagrau. Cyhoeddodd Papi, â'i wyneb yn llym, ein bod yn mynd adref. Dywedodd fod Yncl Manfred ac Anti Lotti wedi penderfynu nad oedd croeso i ni yn eu tŷ nhw bellach, ac na fydden ni'n eu gweld nhw nac yn siarad efo nhw byth wedyn. Wna i byth anghofio cerddded i lawr y ffordd o'r fferm yn gwybod na fydden ni byth yn dod yn ôl.

Dechreuodd Karli grio, ac yn fuan iawn sylweddolais fy mod innau'n gwneud hynny hefyd. Teimlai fel diwedd breuddwyd gwych. A dyna'n hollol oedd o. Dim ond rhyw flwyddyn yn ddiweddarach daeth Papi gartref un diwrnod mewn lifrai byddin. Dywedodd wrthon ni eu bod yn ei anfon i Ffrainc. Roedd yn sioc fawr i mi. Dyna sut y dechreuodd y rhyfel i ni, dechrau ein hunllef, hunllef i bawb."

3.

"Waeth i mi gymryd y llymaid o ddŵr yna rŵan," meddai Lizzie, yn ymestyn am ei gwydryn. Dyna falch oeddwn i o'i roi yn ei llaw.

"Dwi'n meddwl eich bod chi wedi blino," meddwn i wrthi.

"Rydw i'n iawn," atebodd hithau'n bendant. "Yn berffaith iawn. Dim ond bod fy ngwddw i braidd yn sych. Dim byd arall."

"Beth am yr eliffant?" gofynnodd Karl iddi. "'Dach chi ddim wedi sôn am yr eliffant eto."

"Amynedd, amynedd," chwarddodd Lizzie. "Rwyt ti'n union fel Karli. Cwestiynau, cwestiynau o hyd. Y ddau ohonoch yn hynod o debyg. Roeddwn ar fin cyrraedd y rhan honno o'r stori." Tynnodd anadl ddofn a chau ei llygaid cyn ychwanegu:

"Tua'r adeg yma aeth Mutti i weithio yn y sw, gyda'r eliffantod. Gan fod cymaint o ddynion i ffwrdd yn y rhyfel, roedd merched yn gwneud llawer o waith y dynion y dyddiau hynny. A beth bynnag, gan fod Papi wedi mynd, mae'n debyg ein bod ni angen yr arian. Roedd Papi yn dod adref bob rhyw hyn a hyn, ond roeddwn i'n meddwl ei fod yn newid mwy a mwy bob tro; yn ddyn gwahanol, bron. Ei wyneb yn deneuach. Cylchoedd tywyll o dan ei lygaid a'r rheini wedi suddo'n ddwfn i'w ben. Eisteddai yn ei gadair efo Karli ar ei lin a phrin yn dweud gair o'i ben. Doedden ni byth yn mynd allan yn y cwch efo'n gilydd. Doedd Papi byth yn mynd i bysgota. Doedd o ddim hyd yn oed yn gwrando ar fiwsig Bach ar y gramoffon. A doedd o byth yn chwerthin, ddim hyd yn oed pan oedd Karli'n mynd drwy'i bethau.

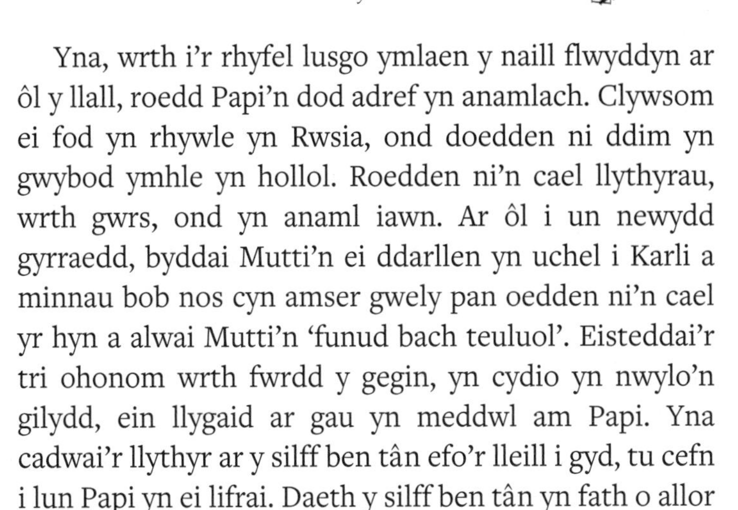

Yna, wrth i'r rhyfel lusgo ymlaen y naill flwyddyn ar ôl y llall, roedd Papi'n dod adref yn anamlach. Clywsom ei fod yn rhywle yn Rwsia, ond doedden ni ddim yn gwybod ymhle yn hollol. Roedden ni'n cael llythyrau, wrth gwrs, ond yn anaml iawn. Ar ôl i un newydd gyrraedd, byddai Mutti'n ei ddarllen yn uchel i Karli a minnau bob nos cyn amser gwely pan oedden ni'n cael yr hyn a alwai Mutti'n 'funud bach teuluol'. Eisteddai'r tri ohonom wrth fwrdd y gegin, yn cydio yn nwylo'n gilydd, ein llygaid ar gau yn meddwl am Papi. Yna cadwai'r llythyr ar y silff ben tân efo'r lleill i gyd, tu cefn i lun Papi yn ei lifrai. Daeth y silff ben tân yn fath o allor er cof amdano.

Gofynnai Karli'n aml a oedd Papi wedi marw yn y rhyfel. Nac oedd, siŵr iawn, oedd ein hateb bob tro. Roedd Papi'n iawn. Byddai'n dod adref cyn bo hir. Dweud unrhyw beth i'w gadw'n hapus. Y byddai popeth drosodd cyn i ni droi rownd, a phopeth yn ôl fel yr oedd o. Ond wrth i'r rhyfel rygnu ymlaen, roedd cuddio'r gwir yn amhosib. Y newyddion yn gwaethygu o wythnos i wythnos. Bwyd yn mynd yn brinach fyth. Rhagor o ddinasoedd yr Almaen yn cael eu bomio. Dim glo i gynhesu ystafelloedd dosbarth yr ysgol yn aml a ninnau'n cael aros gartref. Byddin Rwsia, y Fyddin Goch fel yr oedden ni'n ei galw hi, yn gwasgu arnom o'r dwyrain. Ffoaduriaid yn llifo i Dresden. Y Cynghreiriaid – yr Americanwyr a'r Prydeinwyr – eisoes yn martsio i mewn i'r Almaen o'r gorllewin. Clywed fod mwy a mwy o wŷr a meibion a brodyr wedi'u lladd neu ar goll. Bellach roedd yn beth cyffredin bob wythnos i un o'n ffrindiau ysgol glywed y newyddion difrifol nad oedd tad neu frawd yn dod adref. Felly, wrth gwrs, roedd Mutti a minnau'n ofni'r gwaethaf am Papi, ond doedden ni byth yn meiddio sôn am y peth.

Roedden ni'n arfer gwrando ar y radio bob gyda'r nos, Mutti a fi. Roedden ni'n dwy wedi gwneud hyn drwy gydol y rhyfel, yn gwrando am newyddion o'r lle roedden ni'n meddwl roedd Papi yn ymladd. Roedden nhw'n dal i geisio gwneud i newyddion drwg swnio fel newyddion da – roedden nhw'n dda iawn am wneud hynny. Ond beth bynnag roedden nhw'n ei ddweud wrthom, roedden ni'n gwybod, fel yr oedd pawb yn gwybod erbyn hyn, fod y rhyfel wedi'i golli – yr unig gwestiwn oedd pa mor gyflym fyddai'n dod i ben, a phwy fyddai'n cyrraedd atom gyntaf: y Fyddin Goch o'r dwyrain, neu'r Cynghreiriaid o'r gorllewin. Roedd pawb yn gobeithio mai'r Cynghreiriaid fyddai'n dod – roedd pawb wedi clywed y fath bethau brawychus am y Fyddin Goch gan y ffoaduriaid. Erbyn y diwedd roedd gwrando ar y radio yn rhy boenus, felly doedden ni ddim yn gwneud hynny. Roedden ni'n gwrando ar y gramoffon, ac yn dyheu bob diwrnod am i'r rhyfel ddod i ben, i Papi ddod adref aton ni. Bob nos cyn mynd i fyny i'r gwely, byddai Mutti'n gofalu fod Karli a minnau'n dweud nos da wrth lun Papi. Hoffai Karli ei gyffwrdd â blaenau'i fysedd. Roedd yn rhaid i mi ei godi ar fy mraich gan ei fod yn rhy fach o hyd i gyrraedd ato.

Roeddwn mor flin yn aml y dyddiau hynny – efo cyflwr y byd. Mae gen i gywilydd cyfaddef fy mod i weithiau yn dial ar Mutti, yn ei beio hi am bopeth bron.

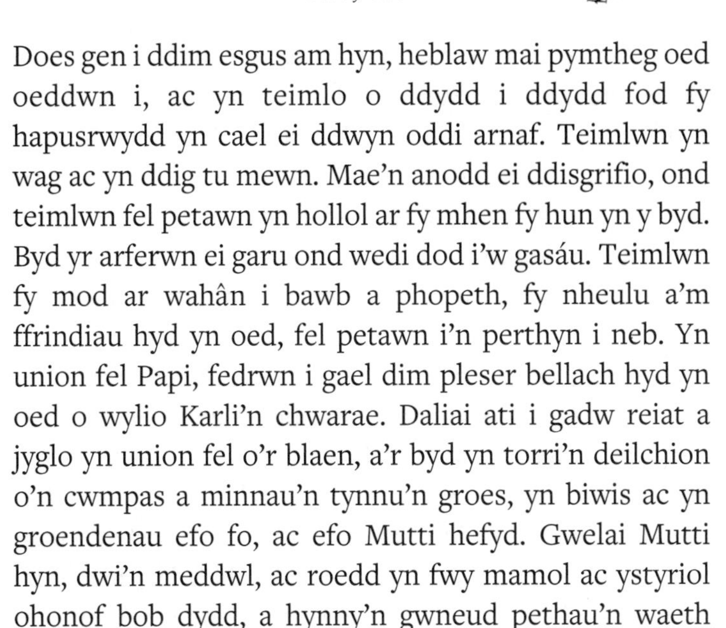

Does gen i ddim esgus am hyn, heblaw mai pymtheg oed oeddwn i, ac yn teimlo o ddydd i ddydd fod fy hapusrwydd yn cael ei ddwyn oddi arnaf. Teimlwn yn wag ac yn ddig tu mewn. Mae'n anodd ei ddisgrifio, ond teimlwn fel petawn yn hollol ar fy mhen fy hun yn y byd. Byd yr arferwn ei garu ond wedi dod i'w gasáu. Teimlwn fy mod ar wahân i bawb a phopeth, fy nheulu a'm ffrindiau hyd yn oed, fel petawn i'n perthyn i neb. Yn union fel Papi, fedrwn i gael dim pleser bellach hyd yn oed o wylio Karli'n chwarae. Daliai ati i gadw reiat a jyglo yn union fel o'r blaen, a'r byd yn torri'n deilchion o'n cwmpas a minnau'n tynnu'n groes, yn biwis ac yn groendenau efo fo, ac efo Mutti hefyd. Gwelai Mutti hyn, dwi'n meddwl, ac roedd yn fwy mamol ac ystyriol ohonof bob dydd, a hynny'n gwneud pethau'n waeth fyth, wrth gwrs.

Doedden ni ddim yn byw ymhell o'r sw lle roedd Mutti'n gweithio, felly yn nhywyllwch y cyfnos, os awn allan i'r ardd, clywn y llewod yn rhuo, y mwncïod yn clebran, a'r bleiddiaid yn udo. Roeddwn i wedi dechrau mynd o'r tŷ bob cyfle a gawn i. Pa mor oer bynnag fyddai hi, byddwn yn eistedd ar y siglen ac yn gwrando. Yn cau fy llygaid ac yn ceisio dychmygu fy mod allan yn y jyngl, yn bell oddi wrth bopeth a oedd yn digwydd, yn bell o'r rhyfel a'r holl anhapusrwydd. Un noson daeth Mutti allan ata i, gan ddod â'm côt i mi.

"Gei di annwyd, Elizabeth," meddai hi, yn lapio'r gôt am f'ysgwyddau. Dechreuodd sôn am yr anifeiliaid roedden ni'n eu clywed, eu henwau, o ba wledydd roedden nhw wedi dod, sut rai oedden nhw, pwy oedd yn ffrindiau efo pwy, eu holl arferion bach digri. Yna siaradodd am Marlene wedyn, yr eliffant ifanc roedd hi bron wedi'i mabwysiadu erbyn hyn. Ond doeddwn i ddim eisiau clywed am Marlene. Soniai Mutti mor annwyl amdani, bron fel petai hi'n rhan o'i theulu. Trawodd fy meddwl y munud hwnnw, yn eithaf sydyn, efallai fod yr eliffant yma'n fwy gwerthfawr iddi hi na fi a Karli.

Roedd Marlene yn bedair neu'n bump oed erbyn hyn a Mutti wedi bod yno pan gafodd ei geni. Dyna falch oedd hi o hynny, ac yn falchach fyth pan ddywedodd *Herr Direktor* y sw y dylai hi, gan mai hi welodd hi'n dod i'r byd, ddewis enw iddi. Bron nad oedd Marlene fel babi iddi hi. Yn ystod y dyddiau diwethaf yn arbennig, bu'n sôn amdani'n aml gan ei bod yn poeni cymaint yn ei chylch.

Rhyw fis neu ddau'n unig cyn hyn, aeth mam Marlene yn sâl a bu farw'n sydyn. Felly roedd Mutti wedi bod yn dod adref yn hwyr bob nos, yn treulio mwy o oriau yn yn y sw, dim ond i fod efo Marlene, i'w chysuro hi. Roedd Mutti wedi egluro i mi fod eliffantod yn galaru yn union fel pobl. Dywedodd fod yn rhaid iddi fod efo Marlene cyn amled â phosib gan nad oedd hi'n bwyta'n dda o gwbl. Yn amlwg roedd hi'n ddigalon ddifrifol er pan fu farw ei mam. Erbyn hyn, roedd llun o'r ddwy efo'i gilydd ar y silff ben tân – Mutti yn mwytho clust Marlene. Roedd yn union wrth ochr y llun o Papi a'i lythyrau. Doeddwn i ddim yn hoffi hynny o gwbl.

Bu Karli a fi efo Mutti yn y sw i weld Marlene lawer gwaith. Roedd yn wir ei bod hi'n edrych yn drist ac yn benisel. Ac roedd Mutti yn llygad ei lle, roedd hi'n glên ac yn dyner a'i llygaid mor garedig. Roedd ei thrwnc fel petai ganddo'i fywyd ei hun ac roedd hi'n rymblan ac yn cwyno bron fel petai'n siarad. Gwnâi hyn i Karli chwerthin bob amser a hynny fel petai'n codi calon Marlene. Yn fuan roedd Karli a'r eliffant yn ffrindiau mawr. Uchafbwynt bywyd Karli oedd pan oedd Mutti yn mynd â ni i weld Marlene. Roedden nhw mor debyg, y ddau yna – Marlene a Karli, dwi'n 'i feddwl. Yn ddrygionus, yn fusneslyd ac yn ddoniol. Arferai Karli siarad efo hi wrth ei bwydo, a byddai'n ei thywys o gwmpas gerfydd ei thrwnc. Roedd y ddau yn ffrindiau gorau, yn eneidiau hoff cytûn.

Petawn i'n onest, rydw i'n meddwl fy mod i braidd yn genfigennus, ac efallai mai dyna pam roeddwn i wedi cael llond bol o glywed Mutti'n rhygnu ymlaen ynghylch yr eliffant felltith. A dyma hi wrthi hi eto.

"Glywaist ti hynna, Elizabeth?" meddai hi, yn cydio yn fy mraich. "Marlene ydi hi! Dwi'n sicr mai Marlene oedd yn trympedu eto. Mae'n gas ganddi glywed y bleiddiaid yn udo. 'Wnân nhw ddim niwed i ti,' meddwn i wrthi'n aml. Ond mae hi ar ei phen ei hun bach yn ystod y nos ac mae arni hi ofn. Wyt ti'n ei chlywed hi?"

"Er mwyn y nefoedd, Mutti!" Hyd yn oed wrth i mi weiddi arni, gwyddwn yn iawn na ddylwn i. Ond fedrwn i ddim peidio. "Mae 'na ryfel, Mutti, neu ydach chi ddim wedi sylwi? Mae Papi i ffwrdd yn ymladd. Mae'n debyg ei fod yn gorwedd yn farw yn yr eira yn Rwsia y munud yma. Yn y ddinas mae 'na filoedd o bobl yn llwgu ar y strydoeodd. A'r cyfan fedrwch chi ei wneud ydi sôn am eich Marlene hurt. Eliffant ydi hi. Dim ond eliffant!"

Trodd Mutti arna i wedyn. "Petawn i'n siarad am y rhyfel, ddaw hynny â Papi yn ôl? Fydd y Rwsiaid a'r Americanwyr yn troi rownd ac yn mynd adref? Dydw i ddim yn meddwl, Elizabeth. Rydan ni'n colli'r rhyfel hwn, a wyddost ti beth? Does dim ots gen i. Be fedra i wneud? Pam ddylwn i sôn amdano? Sut allai hynny helpu? Y cyfan fedra i ei wneud ydi gofalu am fy mhlant a gofalu am f'anifeiliaid, ac fe wna i hynny tra bydda i byw. Rydw i'n sôn amdanat ti a Karli efo Marlene. Rydw i'n sôn am Marlene efo ti a Karli. Ydi hynny mor ofnadwy?"

Doeddwn i ddim wedi'i gweld hi fel hyn erioed o'r blaen. Roeddwn yn difaru ar unwaith i mi ddweud geiriau mor greulon. Criodd y ddwy ohonom wedyn, a chydio yn ein gilydd yn nhywyllwch yr ardd. Mae'n rhyfedd sut y gall munud fel yna newid pethau. Tan hynny, ei phlentyn hi oeddwn i, ei merch, a hithau'n fam i mi. Doedden ni erioed wedi sibrwd cyfrinachau wrth ein gilydd. Ond yn sydyn, roedden ni'n agor ein calonnau i'n gilydd. Dyna pryd y cyfaddefodd wrthyf beth fu'n ei phoeni cyhyd.

"Dydw i ddim wedi bod yn cysgu yn y nos ers wythnosau," meddai hi. "Wyddost ti pam, Elizabeth? Oherwydd y dylwn i fod yn poeni am Papi a Karli a thithau. Ac rydw i yn gwneud hynny. Rydw i yn poeni. Ond dim digon. Ac mae hyn yn gwneud i mi deimlo'n euog ddifrifol. Mae rhywbeth arall rydw i'n poeni amdano drwy'r adeg, ac mae'n ofnadwy, mor ofnadwy fel na fedraf i ei roi o'm meddwl."

"Beth, Mutti, beth?" gofynnais iddi.

Aeth â fi draw o'r tŷ wedyn, at fainc gardd wedi'i gosod yn erbyn y wal gefn. Y fainc lle'r arferai hi a Papi eistedd ar nosweithiau o haf pan oedden nhw eisiau bod ar eu pennau eu hunain. Arferai Karli a minnau eu gwylio drwy ffenest ein llofft, yn dyfalu tybed beth oedden nhw'n ei ddweud. Weithiau byddai Karli bach yn smalio smocio, yn dynwared popeth roedd Papi yn ei wneud, nes roedd y ddau ohonon ni'n rholio chwerthin. Rydw i'n meddwl mai dyna'r tro cyntaf erioed i mi eistedd ar y fainc efo Mutti. Roeddwn yn lle Papi ac roedd yn deimlad arbennig iawn.

Cydiai Mutti'n dynn yn fy llaw wrth siarad efo fi. "*Herr Direktor* y sw, Elizabeth. Galwodd ni at ein gilydd, y ceidwaid i gyd, pawb – rhyw fis yn ôl. Dywedodd fod ganddo rywbeth difrifol iawn i'w ddweud. Hyd yn hyn, meddai, doedd Dresden ddim wedi cael ei bomio. Roedd bron pob dinas fawr yn yr Almaen yn adfeilion: Berlin, Hambwrg, Köln. Miloedd ar filoedd yn farw. Dim ond Dresden oedd wedi'i harbed. Ond yn hwyr neu'n hwyrach, meddai, byddai'r awyrennau bomio yn sicr o ddod, felly roedd yn rhaid i ni baratoi am hynny. Hyd yn hyn buom yn lwcus, ond fyddai ein lwc ddim yn para am byth. Pam ddylai Dresden gael ei thrin yn arbennig? Felly rydan ni wedi paratoi ar gyfer yr awyrennau bomio. Mae selerydd a llochesau cyrch awyr i ni o dan y ddaear, ac maen nhw'n ddwfn, mor ddwfn fel bydd siawns dda i ni gadw'n fyw. Mae pawb yn gwybod ble i fynd. Mae pawb wedi ymarfer beth i'w wneud pan ddaw ymosod o'r awyr. Ond doedd gan yr anifeiliaid, meddai, 'nunlle i fynd, 'nunlle i guddio. Petai'r sw yn cael ei daro gan fom – ac mewn cyrch awyr byddai hynny'n debygol iawn – yna mae'n bosib y gallai llawer o'r anifeiliaid ddianc o'u cewyll a rhusio i'r ddinas. Wiw i hyn ddigwydd, meddai'r awdurdodau."

"Beth wnân nhw efo'r anifeiliaid, felly?" gofynnais iddi. "Mynd â nhw i rywle diogel?"

"Nage, mae arna i ofn," atebodd Mutti. "Penderfynwyd, meddai'r *Herr Direktor* wrthon ni, fod yn rhaid difa'r rhan fwyaf o'r anifeiliaid, yn arbennig y rhai mawr sy'n bwyta cig, y llewod a'r teigrod, yr eirth, a'r eliffantod hefyd – unrhyw anifail a allai fod yn fygythiad i bobl yn y ddinas. Wn i fod hyn yn beth erchyll i'w wneud, meddai, ond petai'r gwaethaf yn digwydd a'r awyrennau bomio yn dod, yna bydd yn rhaid gwneud hyn. Does dim dewis. Dylai pawb baratoi. Dyna ddywedodd *Herr Direktor*, Elizabeth," meddai, bron yn ei dagrau erbyn hyn. "Paratoi! Sut fedra i baratoi fy hun i sefyll yno'n eu gwylio'n saethu Marlene? Dywed hynny wrtha i. Fedra i ddim dioddef meddwl am y peth, Elizabeth. Fedra i ddim."

"Ddaw yr awyrennau bomio, Mutti?" gofynnais.

Atebodd hi ddim ar unwaith. "Mae arna i ofn y byddan nhw'n dod, Elizabeth," meddai hi. "Petawn i'n onest – ac rydw i'n meddwl dy fod ti'n ddigon hen i mi fod yn onest efo ti – wela i 'run rheswm pan na ddylen nhw ddod. Yn hwyr neu'n hwyrach fe ddôn nhw. Mae pawb yn gwybod hynny."

Dydw i ddim yn meddwl i mi erioed fod mor ofnus o'r blaen yn fy mywyd. Cysurodd Mutti fi orau ag y gallai hi.

"Ddylwn i ddim fod wedi dweud wrthat ti," sibrydodd, yn cydio'n dynn ynof. "Ond paid â phoeni. Beth bynnag fydd yn digwydd, fe fydda i'n gofalu amdanat ti a Karli bach. Bydd sŵn y seirenau yn rhoi digon o rybudd i ni, ac mae'r lloches cyrch awyr yn ddigon agos. Mae'n rhy ddwfn i'r bomiau ein cyrraedd i lawr yno. Rydan ni wedi ymarfer cymaint o weithiau. Rydw i'n addo i ti y byddwn ni'n byw drwy hyn. Ti, fi, a Karli bach. Gân nhw anfon hynny o fomiau fynnan nhw, ac fe fyddwn ni'n byw. Ac fe wna i addewid i ti, Elizabeth. Fe wna i hefyd yn berffaith sicr y bydd Marlene yn byw hefyd. Wna i ddim gadael i'r rhyfel yma fynd â phawb rydw i'n ei garu oddi arna i." Sychodd fy nagrau wedyn, a'm dal hyd braich, yn hel y gwallt o'm llygaid. "Cred ti fi, Elizabeth, bydd popeth yn iawn. Rŵan gad i ni fynd i mewn i ddweud nos da wrth Papi."

A dyna wnaethon ni. Erbyn y bore roedd y tri ohonon ni yng ngwely Mutti. Dywedodd Mutti iddi gysgu'n well y noson honno nag yr oedd hi wedi gwneud erstalwm iawn. Amser brecwast dywedodd wrthon ni mai felly y byddai hi'n hoffi i ni i gyd i fod o hyn ymlaen: gyda'n gilydd. Roedd hi'n hapusach nag yr oeddwn i wedi ei gweld hi ers hydoedd, a minnau hefyd. Wrth i ni adael y tŷ y bore hwnnw, cusanodd fi wrth ffarwelio, ac yna sibrydodd rywbeth yn fy nghlust wrth fy nghofleidio. "Rydw i wedi cael syniad yn y nos, Elizabeth, syniad ardderchog, syniad gwych. Cyfrinach."

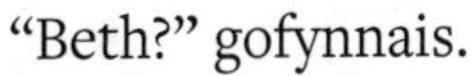

"Beth?" gofynnais.

Ond gwrthododd ddweud rhagor.

Ar y ffordd i'r ysgol efo Karli y diwrnod hwnnw, clywais sŵn dyrnu a grwnan yr awyrennau uwchben. Teimlais gryndod cynnes o ofn yn symud i fyny fy nghefn. Yna roedd Karli yn neidio i fyny ac i lawr, yn chwifio'n wyllt.

"Ein rhai ni ydyn nhw!" gwaeddodd. "Ein rhai ni!" A dyna oedden nhw hefyd. Y tro hwn.

Rhan Dau

Fflach y Fflamau

1.

Roedd Lizzie fel petai hi'n byw pob munud o'r stori unwaith eto yn ei meddwl wrth ei dweud. Ond bu'r ymdrech yn ormod ac yn amlwg wedi'i gadael yn flinedig iawn. Pwysodd ei phen yn ôl ar ei gobennydd ac roedd hi'n dawel am ychydig.

"Ella fod hynna'n ddigon am y tro, Lizzie," meddwn wrthi, yn codi ar fy nhraed i fynd, ac yn annog i wneud hynny hefyd. "Gewch chi ddweud y gweddill wrthon ni rywbryd eto, fory ella. Ty'd yn dy flaen, Karl." Gwelwn fod Karl ymhell o fod yn fodlon. Wnaeth o ddim dadlau yn hollol, ond edrychodd yn ddu iawn arna i.

"Arhoswch," sibrydodd, yn estyn ei llaw allan. "Os gwelwch yn dda, gadewch iddo aros. Rwyt ti eisiau gwybod beth oedd cyfrinach Mutti, wyt ti, Karli? A dyma'r adeg iawn i ddweud hynny wrthot ti. Mae'n well dweud hynny heddiw oherwydd bydd yfory'n rhy hwyr. Fydd hi ddim yn Chwefror y trydydd ar ddeg erbyn hynny. Dyna pam mae'n rhaid i mi ddweud wrthot ti rŵan beth ddigwyddodd. Mae'n ben-blwydd, rwyt ti'n gweld. Mae amser i bopeth. Heblaw am hynny," aeth ymlaen, gan edrych braidd yn ddireidus arna i, ond yn ystyrlon hefyd, "heblaw am hynny, fel y gwyddoch chi, efallai na ddaw yfory i rywun o'm hoed i. Yn hwyr neu'n hwyrach does dim yfory. Dyna'r gwir, yntê?"

"Peidiwch â dweud pethau fel'na," meddwn i, yn gwybod yn iawn fy mod i wedi cael fy nhrechu. "Mae gynnoch chi sawl yfory ar ôl. Rŵan, ydach chi'n berffaith siŵr nad ydach chi wedi blino gormod?"

"Byddaf wedi blino pan fydd fy stori ar ben, 'mach i, ac nid cyn hynny," atebodd.

"Iawn, felly," meddwn wrthi. "Arhoswn ni, ond dim ond os yfwch chi ragor o ddŵr i mi. Bargen?" Dim ond hanner tynnu coes oeddwn i, a hithau'n gwybod hynny.

"Mae dy fam, Karli," meddai Lizzie gyda gwên, "yn nyrs ardderchog, ac rydw i'n sicr ei bod hi'n fam ardderchog hefyd. Ond mae'n rêl bòs weithiau."

"O, ydi," atebodd Karl, yn nodio'n bendant ac yn wên i gyd.

"Bargen," meddai Lizzie. Yfodd ychydig bach rhagor o ddŵr cyn sychu'i gwefusau ar gynfas y gwely a setlo'n ôl ar ei gobennydd.

"Mae'n od . . ." dechreuodd.

"Roedden ni wedi ymgolli cymaint yn y pethau cyffredin bob dydd, fel na feddyliais i fawr rhagor am gyfrinach

Mutti. Holais hi ryw unwaith neu ddwy, ac atebodd ei bod hi'n 'gweithio arno'. Yn sicr, wnes i ddim anghofio ei rhybudd ynghylch yr awyrennau bomio, y bydden nhw'n sicr o ddod yn fuan, nac ynghylch y byddinoedd yn cau arnom o bob ochr. Sut fedrwn i? Ond gwnes fy ngorau glas i beidio â meddwl am hynny.

O edrych yn ôl, mae'n anodd credu erbyn hyn nad oeddwn yn llawn arswyd drwy'r amser. Ond doeddwn i ddim. Aeth bywyd yn ei flaen. Aeth Karli a minnau i'r ysgol, fel arfer – hynny yw, pan oedd glo i gynhesu'r lle. Roedd gwaith cartref i'w wneud, a phrofion i baratoi ar eu cyfer. Cerddai pobl ar hyd y strydoedd yn siarad, fel arfer. Rhuglodd y tramiau heibio. Fedrwn i ddim anghofio'r rhyfel – wrth gwrs na fedrwn i ddim, fedrai neb ohonom – ond mae'n debyg fod pawb yn ei wthio i ben draw eu meddyliau, ac yn dal ati i fyw o ddydd i ddydd gystal ag y medrem. Efallai mai dyna'r unig ffordd o gadw ein gobeithion yn fyw, drwy edrych tu hwnt i'r pethau oedd i'w gweld o'n cwmpas, a chysgod y trychineb yn hongian drosom. Roeddwn i'n gobeithio'n daer fod Mutti'n dweud y gwir, yn gweddïo bob nos y byddai popeth yn iawn, y byddai'r rhyfel drosodd ymhen ychydig ddyddiau ac na fyddai'r awyrennau bomio'n dod, y byddwn yn edrych i lawr y stryd un bore ac yn gweld Papi'n cerdded adref a minnau'n rhedeg i'w gyfarfod ac yntau'n cydio ynof yn ei freichiau drachefn. Ar ôl i'r gwanwyn ddod, byddem i gyd yn mynd i weld Yncl Manfred ac Anti Lotti ar y fferm a phawb yn ffrindiau fel cynt. Karli a fi'n cysgu yn y tŷ yn y goeden, yn gwylio'r lleuad yn hwylio drwy'r cymylau. Popeth yn union fel y cofiwn, yn union fel y dylai fod.

Daeth yr eira, yn union fel heddiw, ac wrth gwrs roedd Karli bach wrth ei fodd. Fo oedd yr unig un yn yr ysgol fedrai jyglo peli eira! Aeth pawb i sledio yn y parc, codi dyn eira yn yr ardd a lluchio peli eira at ein gilydd wrth fynd i'r ysgol ac ar y ffordd adref. Teimlai fel petai'r ddinas i gyd yn cysgu'n dawel dan blanced o eira. Rhewodd y pibellau'n gorn. Fferrodd pawb. Dyna'r gaeaf oeraf gofiwn i erioed. Yn fuan iawn doedd yr eira yn fawr o hwyl bellach. Y cyfan a wnâi oedd gwneud bywyd yn fwy anodd i bawb, yn arbennig y ffoaduriaid ar y strydoedd. Bob diwrnod gwelwn nhw yn eu cannoedd, tu allan i'r ceginau cawl, yn sefyll yn rhesi yn yr eira neu'n swatio gyda'i gilydd yn y drysau rhag yr oerfel, y plant yn crio. A'r rhyfel yn llusgo ymlaen yn ddidrugaredd, yn ddiddiwedd.

Roedd fy mhen-blwydd yn un ar bymtheg ar y nawfed o Chwefror, un naw pedwar pump – diwrnod na fyddaf yn ei anghofio byth, ac nid am i mi gael llawer o anrhegion na llawer o ffrindiau yn dod i barti yn y tŷ. Doedd dim arian ar gyfer hynny, a beth bynnag, doedd ar neb awydd dathlu dim byd. Amser brecwast rhoddodd Mutti a Karli gerdyn pen-blwydd roedden nhw wedi'i wneud i mi o ddarnau o luniau syrcas wedi'u torri allan, clowniau a jyglwyr, ceffylau ac eliffantod. Llawer o eliffantod, wrth gwrs. Rhoddais o ar y silff ben tân, tu cefn i lun Papi, cyn cychwyn i'r ysgol y bore hwnnw.

Pan gyrhaeddon ni adref y noson honno, doedd Mutti ddim yno. Doedd hyn ddim yn syndod i ni. Roedden ni wedi dod i arfer efo hi'n dod adref yn hwyr y dyddiau hynny. Ond y noson arbennig honno roedd hi'n hwyrach nag arfer, hyd yn oed. Roeddwn yn dechrau poeni dipyn bach pan glywais giât yr ardd yn gwichian ar agor a Mutti'n galw arnom o'r ardd. Roedd hi'n dod i mewn drwy'r cefn. Gwibiodd drwy fy meddwl fod hynny braidd yn od, ond feddyliais i ddim mwy am y peth. Roedd yn rhyddhad ei bod hi gartref. Daeth i mewn drwy'r drws cefn, yn dyrnu'r eira oddi ar ei bwtsias. Cariai sach dros ei hysgwydd.

"Tatws," meddai hi, yn gollwng y sach ar y llawr ac yn eistedd yn drwm wrth fwrdd y gegin. Roedd hi'n fyr o wynt, ei hwyneb yn disgleirio yn y oerni, ac roedd hi'n hapus hefyd, yn hapusach nag y gwelais hi erstalwm iawn. "Rydw i'n mynd i wneud potes tatws i ti ar dy ben-blwydd, Elizabeth, gydag ychydig o ham – mae gen i fymryn ar ôl. Fe wna i'r potes tatws gorau a wnaeth unrhyw fam erioed i'w merch. Ac . . . ac, mae gen i anrheg i ti! Tipyn o syndod!"

"Wir?" gofynnais.

"Wrth gwrs," chwarddodd. "Mae'n rhaid cael annisgwyl ar dy ben-blwydd, yn does? Ac rydw i'n addo i ti mai dyma'r un mwyaf i ti ei gael erioed! Mae o allan yn yr ardd. Mae o braidd yn fawr i ddod i mewn, debyg gen i."

Cyrhaeddodd Karli at y ffenest o'm blaen i a gwnaeth hynny i mi deimlo'n biwis. Oherwydd fy mhen-blwydd i oedd o, yntê? Tipyn o syndod i mi oedd o i fod, nid iddo fo. Gwthiais o o'r ffordd. Gwelwn ei bod hi'n bwrw eira o hyd tu allan, ond i ddechrau welwn i fawr ddim arall. Erbyn hyn roedd Karli wedi rhuthro at y drws cefn ac wedi'i agor. "Mae 'na eliffant yn yr ardd, Mutti!" gwaeddodd. "Pam mae 'na eliffant yn ein gardd ni?"

Yna gwelais innau'r cysgod anferth yn symud ac yn ffurfio'n eliffant wrth ddod tuag ataf i'r golau drwy'r ffenest. Roedd breichiau Mutti o'm hamgylch. Cusanodd fy nghorun.

"Dyna fy nghyfrinach i, wyt ti'n cofio?" sibrydodd. "Pen-blwydd hapus, Elizabeth."

"Marlene ydi hi!" gwaeddodd Karli, yn neidio i fyny ac i lawr yn llawen.

"Hi ydi hi, wir?" meddwn i. Doeddwn i ddim yn siŵr o hyd a oedd fy llygaid yn fy nhwyllo i ai peidio.

"Cymerodd dipyn o amser i berswadio *Herr Direktor*, ond yn y diwedd mi lwyddais," meddai Mutti. "Dywedais y gwir wrtho y byddai'n torri calon Karli petai rhywbeth yn digwydd i Marlene. Hefyd llwyddais i'w ddarbwyllo fod ar Marlene f'angen i nos a dydd. Y gallai hi hiraethu ac edwino heb ei mam a marw o dristwch, a bod yn rhaid i mi fod yno efo hi drwy'r amser. Mae hynny'n wir, yn berffaith wir. Rydw i'n siŵr o hynny. Yn well fyth, perswadiais o i addo y bydd Marlene yn cael ei harbed os bydd yn rhaid saethu'r anifeiliaid eraill, os daw'r awyrennau bomio. Efallai ei bod hi'n fawr, meddwn i wrtho, ond ifanc ydi hi o hyd, yn ddiniwed fel oen bach ac yn ddim peryg i neb. Doedd hi ddim yn hawdd i'w berswadio, ond fel y gwyddost ti, mi fedra i fod yn benderfynol iawn. O hyn ymlaen, bydd Marlene yn dod adref efo mi o'r sw bob nos. Chaiff hi ddim mynd o'n golwg ni. Bydd yn byw efo ni, fel un o'r teulu. Felly, ar dy ben-blwydd, Elizabeth, rwyt ti wedi

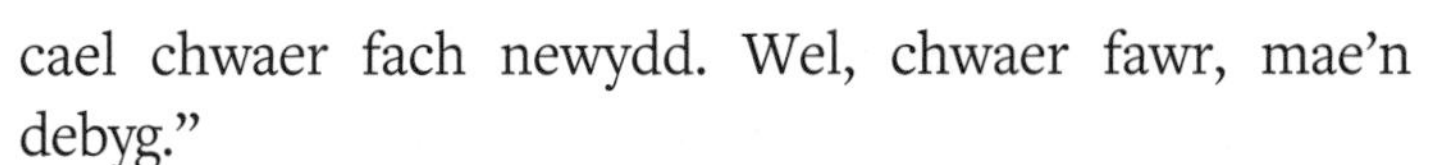

cael chwaer fach newydd. Wel, chwaer fawr, mae'n debyg."

"A chwaer i minnau hefyd!" gwaeddodd Karli, wedi gwirioni efo fo'i hun. "Rydw i'n cofio'r union eiriau ddefnyddiodd o. '*Wunderbar! Ausgezeichnet!*' Gwych! Ardderchog!"

Doedd gen i ddim geiriau. Mae'n debyg fy mod wedi rhyfeddu gormod i feddwl am rai.

"Heno," aeth Mutti ymlaen, "fe gawn ni i gyd datws. Mae Marlene wrth ei bodd yn bwyta tatws. Mae'n hoffi cael ei bwydo â llaw, yn tydi, Karli? Wyt ti'n cofio? A rŵan fedrwn ni i gyd wneud hynny, yn medrwn? Mae'n bwyta llawer o datws, ond y peth braf ydi nad ydi hi ddim fel petai'n malio bwyta'r tatws hanner drwg, y rhai na fydd pobl yn eu bwyta."

Y noson honno, drwy'r ffenest, gwyliai Marlene ni'n bwyta ein potes tatws chwilboeth, a blaen ei thrwnc yn archwilio'r gwydr. Wedyn, aethon ni allan i'r eira, ac ymestynnodd Karli i fyny a chydio yn ei thrwnc i'w thywys i'r cwt pren hanner gwag. Felly roedd digon o le iddi gysgodi rhag yr eira tu mewn. Safodd wrth ei hochr yn mwytho'i chlust ac yn ei bwydo efo tatws fel petai wedi bod yn gwneud hynny drwy'i oes. Siaradai efo hi drwy'r adeg a Marlene yn ei ateb yn ei ffordd ei hun. Oedd, roedd hi'n sgwrsio; yn wir, roedd hi'n cwyno ac yn rhochian ac yn rwmblan – roedd ganddi iaith gyfan ei hun!

Daliais y lamp i Mutti gael ysgwyd gwellt o dan draed Marlene. Ond cadwais bellter oddi wrthi. Efallai mai oherwydd ei bod hi mor anferthol i fod yn agos ati oedd hynny – edrychai'n llawer mwy yn ein cwt pren ni nag yn y sw. Ond rydw i'n meddwl fy mod yn nerfus hefyd gan fod ganddi ffordd o edrych arna i oedd yn fy ngwneud yn anghyfforddus iawn ar y dechrau. Roedd fel petai'n medru gweld i mewn i mi, yn hytrach nag edrych arna i. Felly gwyddwn y gallai hi weld yr eiddigedd a deimlwn o hyd yn ei chylch hi a Karli. Ond yna dechreuais ddeall nad oedd hi'n fy meirniadu i. Doedd neb wedi syllu'n union fel yna i'm llygaid o'r blaen. Edrychiad llawn chwilfrydedd, caredigrwydd a chariad. Dyna'r unig ffordd y medraf ei ddisgrifio. Diflannodd unrhyw ddicter y gallwn fod wedi'i deimlo yn erbyn Marlene yn ystod y noson gyntaf honno yn y cwt.

Pan glywson ni'r bleiddiaid yn udo o'r sw yn y pellter, dechreuodd hi anesmwytho. Mwythais ei thrwnc i'w chysuro ac i ddangos iddi, beth bynnag oedd ei

theimladau hi tuag ataf i, fy mod innau'n eu rhannu. Cofiaf Karli'n edrych i fyny arna i yn y cwt ac yn dweud, 'Rŵan mae gen i ddwy chwaer, un efo trwyn hir ac un efo un byrrach – wel, dim ond tipyn bach yn fyrrach!'

Wna i ddim dweud wrthoch chi beth ddywedais i wrtho fo, ond doedd o ddim yn ateb cwrtais!

Chysgodd Karli na finnau fawr o gwbl y noson honno. Penliniodd y ddau ohonom wrth ochrau'n gilydd ger y ffenest, yn edrych allan ar y cwt. Y cyfan welem ni o Marlene oedd horwth tywyll ei chysgod tu mewn i'r cwt. Yna, bob hyn a hyn, ei thrwnc yn ymestyn allan i eira'r nos.

"Dal y plu mae hi, yntê?" meddai Karli.

Teulu yn cadw'n hunain i ni'n hunain oedden ni. Dyna sut roedden ni'n hoffi i bethau fod, ac fel roedd Papi wedi'i ddweud mor aml yn y dyddiau hynny, roedd

hynny'n fwy diogel. Roedd yn well peidio â thynnu sylw neb. Felly tan hyn, doedd ein cymdogion i lawr y ffordd ddim wedi cymryd llawer o sylw ohonon ni. Ond fore trannoeth, newidiodd hynny'n gyfan gwbl. Edrychai wynebau syn drwy bron bob ffenest wrth i ni gerdded drwy'r giât gefn i'r parc, Mutti yn tywys yr eliffant gerfydd ei thrwnc ar y ffordd i'r sw, a Karli a minnau, gyda bagiau ar ein cefnau, yn trampio tu cefn iddyn nhw drwy'r eira i'r ysgol. Ymunodd rhai o'n ffrindiau â ni. Yn ein dilyn roedd dwsinau mewn mintai fel gosgordd, pawb yn llawn cwestiynau ac yn berwi o gyffro.

Pan gyrhaeddon ni'n lle i wahanu, safodd pawb i wylio Mutti a Marlene yn cerdded draw drwy'r coed i gyfeiriad y sw, cyn rhedeg i lawr yr allt i'r ysgol. Y diwrnod hwnnw yn yr ysgol doedd neb yn sôn am y Fyddin Goch na'r rhyfel. Roedd gan bawb rywbeth arall i sôn amdano. Yn fuan iawn sylweddolodd Karli a minnau fod Marlene wedi'n gwneud yn enwog dros nos. Cofiaf mor bwysig y teimlwn yng nghanol criw o edmygwyr. Doeddwn i erioed wedi teimlo hynny o'r blaen, ac roedd yn deimlad braf. Amser chwarae gwelais fod Karli hefyd yn mwynhau'r holl sylw gymaint â minnau. Ond gyda'i jyglo a'i driciau ffansi eraill roedd wedi arfer mwy â bod yn ganolbwynt sylw na fi. Sylwais nad oedd neb yn ei alw'n 'Goes Glec' bellach – 'bachgen eliffant' oedd o erbyn hyn, a hynny'n ei blesio. Y noson honno roedden ni'n peltio'n gilydd efo peli eira, yn chwerthin ac yn cadw reiat yr holl ffordd adref.

2.

Daeth plisman pryderus yr olwg i'r tŷ yn hwyrach y noson honno i holi Mutti ynghylch yr eliffant a oedd yn cael ei gadw yn yr ardd. Ond roedd Mutti'n disgwyl ymweliad o'r fath gan yr awdurdodau, ac wedi meddwl am bob dim ac yn barod. Darllenodd iddo lythyr gan *Herr Direktor* y sw, yn rhoi ei ganiatâd, yn datgan mai un ifanc oedd yr eliffant, prin yn bedair mlwydd oed, a oedd wedi colli ei mam yn ddiweddar ac felly angen gofal a sylw arbennig, a'i bod yn eithriadol o dawel. Roedd yn berffaith ddiogel i fod yng ngofal Mutti dros nos, a'i fod wedi archwilio'r ardd ei hun ac nad oedd perygl o gwbl i'r cyhoedd. Roedd y plisman eisiau darllen y llythyr drosto'i hun, a hyd yn oed wedyn roedd am weld yr ardd lle roedd Marlene yn cael ei chadw. Felly aethom ag o allan i'r ardd i ddangos iddo, gyda Karli yn arwain y ffordd.

Roedd Marlene yn cysgodi yn ei chwt. Sylwais nad oedd y plisman am fynd yn rhy agos iddi. Cerddodd ar draws yr ardd ac ysgwyd y giât i fodloni'i hun ei bod wedi'i chau'n ddiogel. Ond dywedodd y dylem roi cadwyn arni i wneud yn siŵr. Pan drodd rownd, dyna lle roedd Marlene yn union o'i flaen. Roedd wedi dod i gyflwyno'i hun drwy ymestyn ei thrwnc allan i gyffwrdd ei wyneb. Dychrynodd y plisman braidd, ond pan ddigwyddodd trwnc Marlene daro'i gap oddi ar ei ben ychydig funudau'n ddiweddarach a ninnau'n chwerthin, roedd yn rhaid iddo yntau chwerthin hefyd.

Ar ôl hynny, aeth ar ei ffordd yn fodlon gan ein gadael ninnau'n hapus, yn falch fod Marlene rŵan yn cael aros yn swyddogol, a Karli yn arbennig, yn dal ati i chwerthin wrth gofio het y plisman yn cael ei tharo. Yn ddiweddarach roedd yn un o'r straeon teuluol a oedd yn cael ei hail-ddweud yn aml, ond Karli oedd y gorau am ei hadrodd – yn dynwared y syndod ar wyneb y plisman yn ardderchog.

Ar ôl y diwrnod cyntaf, gyda Mutti yn dod â Marlene gartref bob gyda'r nos, roedd pawb eisiau dod i weld yr eliffant amddifad yn yr ardd. Yn sydyn, roedd ein ffrindiau i gyd yn awyddus i ddod i'n gweld – rhai ohonyn nhw'n ffrindiau nad oedden ni hyd yn oed yn gwybod eu bod yn ffrindiau i ni tan hynny. Byth a hefyd byddai wynebau chwilfrydig yn sbecian drwy fariau giât yr ardd a Marlene yn mwynhau pob eiliad o gael ei haddoli fel hyn. Roedd Karli allan yn yr ardd drwy'r amser yn mwynhau'r sylw hefyd. Gofalai fod pawb yn gwybod mai ei eliffant personol o oedd Marlene. Roedd hi wrth ei bodd yn cael tamaid bach gan hwn a'r llall. Bwytâi unrhyw beth: crystiau sych, dail bresych, hyd yn oed afal neu ambell fynsen weithiau, ond rydw i'n meddwl ei bod hi bob amser yn gobeithio cael tatws. Dyna, fel y dywedodd Mutti, oedd ei hoff fwyd. Felly pan fyddai rhywun yn dod at y giât, crwydrai Marlene draw efo Karli i dderbyn eu rhoddion yn awyddus iawn.

Un broblem oedd yna. Problem eithaf mawr a dweud y gwir – heblaw'r ffaith ein bod ni fel petaen ni'n dŷ agored i'r holl gymdogaeth – a hynny oedd fod pentyrrau anferth o faw eliffant yn ymddangos yn fuan iawn yn yr eira yma ac acw ar hyd yr ardd, fel twmpathau tyrchod daear.

"Mae'n ardderchog i dyfu llysiau," meddai Mutti, a dyna ddechrau ei gario mewn berfa i domen yng nghornel yr ardd. Roedd Karli fel petai'n hoffi gwneud hyn – hoffai unrhyw beth i'w wneud efo Marlene – ond roedd yn gas gen i'r gwaith. Fedrwch chi byth ddychmygu cymaint ohono oedd yna, nac mor ddrewllyd oedd o. Sylweddolais ei bod yn anodd i wthio berfa a gafael yn eich trwyn ar yr un pryd!

Aeth diwrnod neu ddau heibio cyn i mi ymwroli digon i fynd allan i'r ardd i weld Marlene ar fy mhen fy hun. Daeth allan o'r cwt i'm cyfarfod, yn crwydro'n araf tuag ataf, yn snwffian yr eira gyda'i thrwnc wrth ddod. Ar ôl rhochian yn fodlon o rywle a oedd yn llawn atsain yn ddwfn tu mewn iddi, archwiliodd fy ngwallt a'm hwyneb â blaen ei thrwnc. Dyna oedd ei ffordd hi o ddweud helô. Pan ymestynnais i fyny i fwytho'i chlust, rydw i'n meddwl ei bod hi'n gobeithio fy mod wedi dod â thysen iddi. Byddwn wedi dod ag un hefyd petawn wedi meddwl am wneud hynny. Ond doedd hi ddim yn edrych yn rhy siomedig. Cofiaf i ni adael i'n llygaid wneud y rhan fwyaf o'r siarad. Safodd y ddwy ohonom yno a'r eira'n pluo i lawr o'n cwmpas, y ddwy ohonom yn gwybod, rydw i'n siŵr o hynny, ein bod yn gwneud ffrind am oes. Roeddwn i'n synhwyro yn nyfnder ei llygaid yr hiraeth roedd hi'n ei ddioddef o hyd wedi colli ei mam. Heb i mi ddweud yr un gair o'm pen, gwyddwn ei bod hithau'n deall fy holl ofnau i, ynghylch Papi, ynghylch yr awyrennau bomio allai ddod unrhyw ddiwrnod bellach, ynghylch y rhyfel.

Roedd Marlene bob amser mor fwyn, mor amyneddgar. Welais i erioed hi'n flin nac yn gas tan y diwrnod y daeth y ci. Roedd yn gi mawr, yn gi uchel ei gloch – Alsatian, dwi'n meddwl, ond fedra i ddim bod yn bendant. Byddai'r ci yma'n ymddangos yn sydyn wrth giât yr ardd ac yn cyfarth arni, ei gorff i gyd yn ysgwyd yn wallgo. Roedd yn dod yn ôl dro ar ôl tro, a rhedai Marlene ato bob tro ar draws yr ardd, yn trympedu, yn ysgwyd ei chlustiau i fyny ac i lawr. Ond roedd hynny'n gwneud y ci'n fwy cynddeiriog fyth. Ceisiodd pawb ohonom ei hel i ffwrdd. Ysgwyd ffon arno drwy fariau'r giât. Gweiddi arno i fynd i ffwrdd. Lluchiodd Karli dipyn o faw eliffant ato unwaith – ond doedd dim yn tycio. Yn hwyr neu'n hwyrach byddai'r ci felltith hwnnw'n dod yn ôl.

Yna, un noson roedd perchennog y ci yno efo fo wrth y giât, y ci'n cyfarth yn ddychrynllyd fel arfer. Roeddem yn gallu clywed fod Marlene yn mynd o'i cho. Roedd Karli allan yno'n gweiddi arno i'w gwadnu hi. Felly

rhedodd Mutti allan i'r ardd a dilynais innau hi. Dywedodd wrth y dyn mai digon oedd digon, ac nad oedd rheolaeth ar ei gi a'i fod yn dychryn yr eliffant. Bu'r ddau yn ffraeo drwy fariau'r giât, ac aeth y dyn i ffwrdd gan regi a rhwygo, yn codi'i ddwrn, yn gweiddi arnom fod y parc yn lle cyhoeddus, a bod gan ei gi berffaith hawl i gyfarth, ac mai lle eliffantod oedd mewn sw beth bynnag.

Bu Mutti yn berwi o ddicter drwy'r gyda'r nos. Drwy amser swper ac wedi hynny codai i fynd i edrych allan drwy'r ffenest i gadw llygad ar Marlene. Roedd yn ddigon hawdd gweld ei bod yn poeni yn ei chylch. Yn y diwedd, aeth allan i'r ardd i'w gweld.

"Mae hi'n dal i gerdded i fyny ac i lawr allan yn fan'na," meddai Mutti wrth ddod yn ôl i mewn. "Dyna fydd hi'n ei wneud yn ei chawell yn y sw pan fydd hi'n teimlo'n anhapus am ryw reswm. Mae'r hen gi ofnadwy 'na wedi'i chynhyrfu hi'n lân. Fe a' i â hi am dro. Mae hynny'n ei thawelu fel arfer. Dwi'n meddwl mai dyna'r union beth mae hi ei angen. Mae'n lleuad llawn, braf allan yn fan'na. Ddowch chi'ch dau efo ni?"

Y gwir plaen oedd nad oedd arna i eisiau mynd. Roeddwn yn gynnes yn lle roeddwn i, ac yn sicr doedd gen i ddim awydd mynd allan i'r oerfel drachefn. Ond, wrth gwrs, prin yr oedd Karli angen gwahoddiad. Roedd eisoes wedi gwisgo'i fwtsias, ac wrthi'n stryffaglio i'w gôt. "Ga i gydio yn ei thrwnc, Mutti?" galwodd. "Mae hi'n hoffi i i mi gydio yn ei thrwnc."

Roedden nhw hanner y ffordd allan drwy'r drws yn barod erbyn hyn. Es efo nhw dim ond am nad oeddwn eisiau cael fy ngadael ar ôl. Cofiaf i mi gwyno. "Oes rhaid i ni fynd?" Ond doedd neb yn gwrando arnaf. Gofalais y byddwn mor gynnes â phosib. Tynnais fy het dros fy nghlustiau. Lapiais fy sgarff rownd fy ngwddw.

Yna cydiais yn Karli fel yr oedd yn mynd drwy'r drws a rhoi ei het a'i sgarff amdano yntau gan nad oedd wedi trafferthu gwneud hynny. Roedd yn gas ganddo i mi ffysian. Ysai am fynd allan yna efo Marlene.

Funudau yn ddiweddarch aethon ni drwy'r giât ac allan i'r parc tu hwnt, yr eira'n llachar yng ngolau'r lleuad, a'r byd i gyd yn dawel a heddychlon o'n cwmpas. Tywysai Karli Marlene gerfydd ei thrwnc, yn clician ei dafod fel arfer ac yn dweud ji-yp wrthi, yn union fel yr arferai ei wneud efo Tomi ar fferm Yncl Manfred. Sylwais wedyn ar rywbeth roeddwn wedi sylwi arno'n aml o'r blaen: pan oedd Karli yn hapus fel y gog, doedd o ddim mor gloff. Wrth drampio drwy'r eira efo Marlene ar y blaen i ni, prin ei fod yn hercian o gwbl.

Gwthiodd Mutti ei llaw drwy fy mraich wrth i ni gerdded. "Ble bynnag mae Papi, Elizabeth," meddai. "Yr

un lleuad sydd iddo ag i ni. Efallai ei fod yn syllu arni'r munud yma."

Ar hynny neidiodd y ci allan o dan y coed, yn cyfarth yn wyllt arnom. Gwelais ar unwaith mai'r un Alsatian fu'n poenydio Marlene drwy'r giât oedd o. Rhuthrodd Mutti ato, yn curo'i dwylo ac yn gweiddi. Ond roedd y ci'n benderfynol o beidio â throi'i gefn. Yn lle hynny aeth tu ôl i Marlene, yn ysgyrnygu ac yn cyfarth. Dyna wnaeth i Marlene droi rownd yn sydyn i'w wynebu, gan daro Karli ar ei hyd i'r eira. Rhedais ato ar unwaith i'w helpu i godi ar ei draed. Erbyn i mi godi fy mhen, roedd Marlene yn rhuthro drwy'r eira, yn ymlid y ci i ffwrdd, yn trwmpedu wrth fynd, ei thrwnc yn chwipio, ei chlustiau ar led. Baglai Mutti ar ei hôl, yn galw arni i stopio. Ond gwelwn na fyddai dim byd yn rhwystro Marlene bellach nes byddai hi naill ai wedi ymlid y ci o'r golwg, neu wedi'i sathru i farwolaeth.

3.

Cydiais yn llaw Karli a dilyn Mutti wrth iddi redeg ar ôl Marlene. Ond roedd yr eira'n drwchus a blinodd y tri ohonom yn fuan a fu'n rhaid i ni gerdded. O'n blaenau aeth y ras yn ei blaen. Pa mor galed bynnag yr ymdrechai'r ci i neidio dros yr eira i ddianc, roedd Marlene yn dynn wrth ei sodlau. Drwy'r adeg atseiniai sŵn trwmpedu Marlene drwy'r parc, yn uwch yn awr yn fy nghlustiau. Yn uwch nag y teimlai'n bosib – nes i mi ddechrau sylweddoli mai nid sŵn Marlene oeddwn yn ei glywed o gwbl, ond sŵn seirenau cyrch awyr yn dolefain drwy'r ddinas. Arhosais i wrando, i wneud yn berffaith sicr nad oedd fy nghlustiau yn chwarae triciau arnaf.

Cydiodd Karli'n dynn yn fy mraich. "Cyrch awyr!" gwaeddodd. "Cyrch awyr!" Gwyddwn fod yn rhaid i ni fynd i'r lloches cyrch awyr ar unwaith, fel y cawsom ein dysgu i'w wneud. Stopiodd Mutti yn stond o'n blaenau, yn gweiddi ar Marlene i ddod yn ôl. Galwodd eto ac eto, ond dal i redeg yn ei blaen wnaeth Marlene. Erbyn hyn roedd hi bron o'r golwg yn y coed a Mutti'n baglu'n ôl tuag atom.

"Fedrwn i wneud dim byd rhagor am y tro, blant," meddai hi. "Gawn ni hyd iddi'n nes ymlaen. Mae'n rhaid i ni fynd adref, i'r lloches cyrch awyr. Dowch ar unwaith!" Gafaelodd yn law Karli.

"Na!" galwodd yntau, yn tynnu o'i gafael ac yn troi i redeg. "Na! Fedrwn ni ddim mynd! Fedrwn ni ddim ei gadael hi. Mae'n rhaid i ni ei dal hi. Ewch chi adref os mynnwch chi. Dydw i ddim yn dod."

"Karli! Karli, paid â bod yn hurt. Ty'd yn ôl yma'r munud yma, wyt ti'n clywed?" Gwaeddai Mutti ar ei ôl, yn sgrechian bron. Ond gwelwn fod gweiddi arno'n weithred ddibwrpas, am fod Karli wedi gwneud ei benderfyniad. Dechreuais redeg ar ei ôl, a Mutti hefyd. Ond roedd o ar y blaen i ni'n barod, ac erbyn hyn doedd Marlene yn ddim byd mwy na chysgod yn symud drwy'r coed. Yna, aeth o'r golwg yn llwyr. Roedden ni bron â chyrraedd Karli pan faglodd, ac nid am y tro cyntaf chwaith. Suddodd ar ei bengliniau, wedi ymlâdd. Roedd Mutti a minnau'n ceisio'i helpu i godi ar ei draed, yn gwneud popeth o fewn ein gallu i'w berswadio fod yn rhaid i ni fynd yn ôl i'r lloches cyrch awyr. Roedd o'n dal i brotestio, yn dal i ymladd yn ein herbyn, yn tynnu i gael ei hun yn rhydd o'n gafael, pan glywson ni sŵn y buon ni'n arswydo rhagddo gymaint.

Yr awyrennau bomio.

Roedd yr awyrennau bomio yn dod. Clywsom swnian

yn y pellter i ddechrau, wedyn grwnan, fel haid o wenyn, haid a oedd yn dod yn nes, ac yn nes o hyd. O edrych i fyny, doedd dim golwg o'r awyrennau. Doedd dim posib dweud o ba gyfeiriad roedden nhw'n dod oherwydd teimlai fel petaent o'n cwmpas ym mhobman, ond yn anweledig. Yna, ymhen dim o amser, roedd yr awyr uwch ein pennau yn llawn rhu taranau; roedd o mor uchel nes i mi feddwl fod fy nghlustiau'n hollti. Roedd dwylo Karli dros ei glustiau ac roedd o'n sgrechian. Yna, dechreuodd y bomiau ddisgyn, tu ôl i ni, ar y ddinas, ar ochr bellaf y parc, ar y lle roedden ni wedi'i adael, ein stryd ni, ein tŷ ni. Dirgrynodd y byd i gyd gyda phob ffrwydrad. I mi, teimlai fel petai diwedd y byd wedi dod.

Rŵan doedd dim dewis. Roedd yn amlwg i bawb yr eiliad hwnnw nad oedd dim mynd yn ôl i fod. Cododd Mutti Karli yn ei breichiau. Cydiodd ynddi, yn claddu ei ben yn ei hysgwydd, yn crio am Marlene. A dyna ni'n rhedeg. Yn rhedeg a rhedeg heb wybod beth oedd blinder bellach. Ofn yn unig a gadwodd ein coesau i redeg. Edrychais i fyny unwaith yn rhagor a gweld yr awyrennau'n hedfan ar draws y lleuad. Roedd cannoedd ohonyn nhw i fyny 'na. Erbyn hyn disgynnai'r bomiau dros Dresden i gyd. Clywsom eu sgrech yn syrthio, eu trwst y taro, y gwasgu a'r malu a'r mathru, fflach y fflamau, y ffrwydro ffyrnig a'r tanau'n sgubo i bobman drwy'r ddinas.

Doedd dim rhagor o ddadlau ynghylch Marlene a oedd wedi diflannu i'r nos erbyn hyn, nac ynghylch dychwelyd adref i'r lloches cyrch awyr. Fedren ni wneud dim rhagor ynghylch Marlene. Roedd yn berffaith

amlwg mai'r unig obaith i ddianc rhag y bomiau oedd anelu am y wlad agored o'n blaenau, tu hwnt i'r maestrefi. Yn bendant, nid aros mewn lloches 'nôl yn y ddinas wenfflam.

Y ddinas oedden nhw'n ei bomio, nid cefn gwlad. Dim ond dal ati i fynd oedd yn rhaid i ni ei wneud, meddwn wrthyf fy hun. Byddem allan o'r parc yn fuan iawn ac ar gyrion y ddinas, yn nes drwy'r amser at ddiogelwch y caeau a'r coed tu hwnt.

Roeddem yn gwneud ein gorau glas i beidio ag aros, ond roedd yn rhaid i ni wneud hynny bob hyn a hyn – er mwyn i ni gael ein gwynt atom. Bob tro roedden ni'n gwneud hynny, safem yno'n syllu'n ôl ar y ddinas. Ein dinas ni oedd hi, ac roedd yn cael ei dinistrio o flaen ein llygaid. Croesai goleuadau'r awyr, yn chwilio, chwilio.

Taniai gynnau atal awyrennau, yn saethu, yn dyrnu. Ond dal ati i ddod oedd yr awyrennau, a sŵn ffrwydro'u bomiau'n dod hyd yn oed yn nes, yn uwch, yn rhuo yn ein clustiau. Llyfai'r fflamau o'r tai a'r ffatrïoedd a oedd ar dân yn uchel i'r awyr, yn neidio o'r naill adeilad i'r llall, o un stryd i'r nesaf; pob tân, debygwn i, yn chwilio am gwmni tân arall er mwyn creu coelcerth o dân uffern, er mwyn llosgi'n lloerig, yn fwy milain, yn fwy cynddeiriog a chwyrn.

Dro ar ôl tro roedd yn rhaid i ni droi draw oddi wrtho a rhedeg ymlaen, yn rhannol oherwydd bod y gwres mor aruthrol, mor llethol, mor enbyd, ac yn rhannol oherwydd na fedrem ddioddef edrych rhagor. Roeddem allan o'r parc erbyn hyn, allan ar y ffordd drwy'r maestrefi. Yn sydyn cododd y gwynt; gwynt cryf, ffyrnig yn hyrddio yn ein hwynebau wrth i ni gerdded, a ninnau'n pwyso i mewn iddo ac yn stryffaglio ymlaen drwy'r eira.

Ar ôl i ni ddilyn y ffordd i ben gallt serth, ni fedrai Mutti gario Karli ymhellach. Dyna lle roedden ni ar ein gliniau yn yr eira, yn edrych yn ôl i lawr ar y ddinas, ar fflach y fflamau a oedd rŵan wedi cau o'i hamgylch i gyd. Wrth benlinio yno, drwy sŵn grwnan yr awyrennau bomio, clywsom yn berffaith glir sŵn saethu. A sŵn sgrechian. Un cip ar wyneb llawn arswyd Mutti, a gwyddwn yn union beth ydoedd: sŵn sgrechian anifeiliaid yn marw a oedd yn dod o gyfeiriad y sw. Roedden nhw'n saethu'r anifeiliaid. Rhoddodd Mutti ei dwylo dros glustiau Karli a'i gofleidio'n dynn. Yna wylodd Mutti'n afreolus, llawn gymaint mewn dicter â gofid, meddyliais. Rhoddodd Karli a minnau ein breichiau amdani, yn gwneud ein gorau i'w chysuro. Penliniodd y tri ohonom yno, y gwynt chwilboeth yn chwipio ein hwynebau a sŵn y saethu'n mynd ymlaen ac ymlaen. Y bomiau'n syrthio, a'r ddinas yn llosgi.

Erbyn y diwedd, nid fi na Karli a lwyddodd i'w chysuro ond sŵn anadlu'n agos tu cefn i ni, ac yna'n wyrthiol, trwnc Marlene yn lapio'i hun amdanom, yn ein cofleidio. Dyna funud rydw i'n ei gofio'n berffaith glir. Chwarddodd y tri ohonom, yn chwerthin drwy ein dagrau. Roedden ni wedi mynd i chwilio am Marlene, wedi'i cholli, a rŵan roedd hi wedi cael hyd i ni. Roedden ni ar ein traed ar unwaith, wedi gwirioni'n lân; Karli yn cusanu ei thrwnc dro ar ôl tro a Mutti yn mwytho'i chlust, ond yn dweud y drefn wrthi am gamfihafio a rhedeg i ffwrdd fel yna. Edrychais i fyny ar wyneb Marlene a gweld tanau'r ddinas yn llosgi yn ei llygaid pryderus. Gwyddai'n iawn beth oedd yn digwydd. Deallai bopeth. Roeddwn yn sicr o hynny.

Rydw i'n meddwl mai Marlene yn ailymddangos mor annisgwyl roddodd obaith newydd i ni, gan adnewyddu nerth Mutti yn fwy na neb. "Wel, blant," meddai hi, yn hel yr eira oddi ar ei chôt, "does gynnon ni ddim tŷ i fynd yn ôl iddo, ac yn sicr ddigon, fydd fawr ddim ar ôl o'r ddinas. Felly rydw i wedi bod yn meddwl. Dim ond un lle sydd i ni fynd iddo. Fe awn ni i'r fferm, at Yncl Manfred ac Anti Lotti. Mae'n ffordd bell iawn i gerdded yno, ond dyna'r unig le."

"Ond," meddwn i. "Fe ddwedsoch chi a Papi na chaen ni byth dywyllu'r drws yno ar ôl . . ."

"Wn i," meddai Mutti. "Ond does gynnon ni ddim dewis, nac oes? Mae angen bwyd a chysgod arnon ni. Edrychan nhw ar ein holau ni. Wn i y gwnân nhw. Dim ond ffrae deuluol oedd hi. Rydw i'n sicr y byddan nhw wedi maddau ac anghofio popeth erbyn hyn. Pan gyrhaeddwn ni yno, gawn ni groeso cynnes ganddyn nhw. Bydd popeth yn iawn. Rydw i'n addo i chi. Gewch chi weld."

"Elizabeth?" meddai Karli, ei law yn llithro i mewn i fy llaw innau. "Elizabeth, pam maen nhw'n gwneud y pethau dychrynllyd yma i gyd? Pam mae'r awyrennau bomio wedi dod?"

"Am mai ein gelynion ni ydyn nhw, ac am eu bod nhw'n ein casáu ni," meddwn i wrtho. "Ac oherwydd mai bwystfilod ydyn nhw. Mae'n rhaid mai bwystfilod ydyn nhw i wneud hyn – yr Americanwyr, y Prydeinwyr, y cyfan ohonyn nhw."

"Ond pam maen nhw'n ein casáu ni?" holodd.

Atebodd Mutti drosof ac roeddwn yn falch iddi wneud hynny oherwydd doedd gen i ddim ateb i'w roi iddo. "Os ydyn nhw'n ein casáu ni, Karli," meddai, "oherwydd ein bod ninnau hefyd wedi bomio eu dinasoedd nhw y mae hynny. Byd wedi mynd yn wallgof ydan ni'n ei weld rŵan, blant. Byd yn llawn bwystfilod, pob un yn bwriadu lladd ei gilydd. A ddylai 'run ohonon ni anghofio ein bod i gyd yn gyfrifol am wneud iddo ddigwydd, am adael iddo ddigwydd."

Wrth i'r tri ohonom droi a cherdded i ffwrdd, roedd yn rhaid i ni gydio'n dynn yn ein gilydd rhag i'r gwynt

ein chwythu'n ôl tuag at y ddinas, tuag at y tân. Hyrddiai'r gwynt mor gryf. Cofiaf Karli yn edrych i fyny arna i ac yn pwyntio at y coed. "Y coed yn y gerddi, Elizabeth," meddai. "Maen nhw'n ysgwyd. Rydw i'n meddwl fod arnyn nhw ofn y gwynt. Maen nhw eisiau dianc, fel ninnau. Ond fedran nhw ddim. Pam mae'r gwynt yn chwythu mor gryf? Pam mae o mor flin?" Doedd gan Mutti hyd yn oed ddim ateb i hynny. Criodd Karli wedyn; roedd o'n crio am fod ein cartref yn llosgi, a hefyd, efallai, am ein bod yn gadael y coed a oedd yn methu dianc ar ôl.

Dyna pryd y cychwynnodd ein taith hir. Ymlwybro drwy'r eira, ar hyd ffordd a oedd yn orlawn o ddwsinau, cannoedd, miloedd, o rai eraill fel ninnau, yn llifo allan o Dresden; pob un ohonom yn gwneud popeth a fedren

ni i gefnu ar y ddinas. Pan edrychais dros f'ysgwydd – a gwnes fy ngorau i beidio â gwneud hynny – doedd Dresden ddim yn ddinas mwyach. Yn hytrach, edrychai fel coelcerth anferthol. Tân yn tanio tân. Tân yn cael ei gynddeiriogi gan ei wynt grymus ei hun. Tân yn chwipio'n hwynebau. Tân yn gwneud popeth o fewn ei allu i'n sugno'n ôl i ganol y ddinas a oedd yn llosgi'n ulw. O'n cwmpas roedd drewdod myglyd y mwg a Karli yn ei chael yn anodd i anadlu, ac yn gorfod aros o hyd i'w besychu o'i ysgyfaint.

Poenai Mutti a minnau y byddai'n cael pwl o asthma ond ni ddigwyddodd hynny, diolch byth. Roedd yr awyrennau'n dal i ddod, yn gollwng eu bomiau.

Honno oedd noson hiraf fy mywyd i. Doeddwn i erioed o'r blaen wedi bod yn dyst i ddioddefaint dynol ar y fath raddfa. Wna i fyth anghofio sŵn pobl yn llawn anobaith llwyr: yr wylofain torcalonnus a'r beichio crio, y sgrechian a'r gweddïo. Roedden ni i gyd eisiau gadael y ddinas yn gyflym y noson honno, ond mor araf roedden ni'n symud. Llusgai pawb ymlaen drwy'r oerfel a'r tywyllwch, y rhan fwyaf ohonom ar droed, ond llawer ar gefn beiciau ac mewn ceir, mewn lorïau a cherbydau fferm. Gwthiai pawb yn erbyn ei gilydd, yn ceisio mynd ar y blaen er mwyn symud ychydig bach yn gyflymach. Chwiliai rhai'n wyllt am anwyliaid roedden nhw wedi'u colli. Roedd llawer wedi'u lapio mewn rhwymynnau ac yn griddfan mewn poen.

Roedd y profiad fel cerdded drwy uffern, ac fel petai'n ddiddiwedd. Cerbydau'r fyddin ac ambiwlansiau'n unig fedrai fynd ymlaen, yn canu eu cyrn arnom, yn ein hel i'r ochr. Roeddem yn dyheu bob eiliad am gefnu ar y maestrefi tanllyd ac i gyrraedd tywyllwch croesawgar cefn gwlad. Gwyddai pawb ar y ffordd honno fod diogelwch yn y tywyllwch. Dyna, dwi'n meddwl, oedd yr hyn a oedd yn ein cadw i fynd.

Llusgodd pawb ymlaen drwy'r nos. Bellach, roedd tagfeydd gwaeth fyth ar y ffyrdd gorlawn. Ffoaduriaid oedd y rhan fwyaf ohonyn nhw, ar droed fel ninnau, ond erbyn hyn edrychai fel petai yna lawer mwy ohonyn nhw, yn tynnu ac yn gwthio cerbydau a oedd yn llawn dop o hen bobl neu blant; eu heiddo'n bentyrrau o'u hamgylch. Tawelodd sŵn rhuo'r awyrennau gan dewi o'r diwedd wrth iddynt bellhau. Llanwyd yr awyr â sŵn nadu cwynfanllyd fel petai'r byd i gyd yn galaru. Erbyn toriad y wawr clywid sŵn llusgo traed a gwichian olwynion y cerbydau a sŵn ceffyl yn gweryru weithiau. Wrth i mi edrych yn f'ôl dros f'ysgwydd o ben bryn, edrychai fel gorymdaith angladd anferth.

Trafnidiaeth un-ffordd oedd yna fwyaf. Ond wedi toriad y wawr rhuodd rhagor o dryciau yn llawn milwyr heibio, ar eu ffordd yn ôl i'r ddinas. O'u blaenau roedd milwyr ar gefn motor-beic yn ein chwifio'n wyllt i'r naill ochr. Y nhw oedd y rhai cyntaf i gymryd sylw o Marlene, rhai ohonyn nhw'n rhythu ac yn pwyntio atom wrth fynd heibio. Efallai fod ein cyd-ffoaduriaid wedi mwydro gormod, wedi cael gormod o ysgytiad, neu dim ond yn rhy flinedig, efallai, i sylwi rhyw lawer ar yr eliffant ifanc yn crwydro ymlaen gyda nhw. Roedd rhai o'r plant yn chwilfrydig, ond roedd pawb, gan gynnwys y plant, yn dawedog iawn. Doedd dim gwên o gyffro ar wyneb neb, dim ond syndod hurt.

Does gen i ddim syniad pa mor bell i ni gerdded y diwrnod hwnnw ar ein taith hir – rhyw ychydig o gilometrau'n unig, mae'n debyg, ond teimlai fel cant. Doedd gan neb fwyd na diod, dim ond yr eira i'w fwyta ar ochr y ffordd. Roeddem yn rhan o gynffon hir o ffoaduriaid truenus a oedd yn symud ymlaen yn boenus o araf. Tu blaen a thu ôl i ni roedd y ffordd yn orlawn cyn belled ag y gallai llygad weld. Y peth gwaethaf oedd ei bod yn anodd iawn i ni symud. Doedden ni ddim fel petaen ni'n mynd i unman. Dechreuodd pobl ddadlau a ffraeo a cholli'u limpin.

Ond roedd Karli, ar y llaw arall, fel petai'n ddigon hapus yn trampio wrth ochr Marlene, yn cydio yn ei thrwnc ac yn sgwrsio efo hi drwy'r adeg. Chwynodd o ddim am ei goes o gwbl, na bod ei frest yn gwichian. Hoffwn petawn i'n gallu dweud yr un peth amdanaf fi fy hun. Roedd fy nhraed yn boenus ofnadwy, fy nghlustiau'n brifo'n ddychrynllyd, ac roeddwn yn ysu am rywbeth i'w fwyta – unrhyw beth. Pan oeddwn i'n sôn am hyn wrth Mutti, fel y gwnawn yn aml, yr unig beth a wnâi hi oedd rhoi ei braich am f'ysgwydd gwenu'n geryddgar braidd, codi'i hysgwyddau a dweud, "A minnau, Elizabeth, a minnau." Doedd hynna'n ddim help. Wnaeth o ddim i mi deimlo'n well.

Rywbryd yn ystod y pnawn y diwrnod hwnnw a ninnau'n cerdded ar hyd ffordd drwy goed bythwyrdd ac yn symud ymlaen yn arafach nag erioed, yn sydyn cydiodd Mutti yng nghlust Marlene. Heb rybudd o gwbl arweiniodd ni i adael y ffordd a dilyn llwybr rhwng y coed. Roedd yn anodd iawn cerdded yma, yn fwy llafurus a blinedig, ond o leiaf doedden ni ddim yn llusgo ymlaen yng nghanol cannoedd o bobl eraill, yn methu symud am hydoedd. Gofynnodd Karli droeon pam roedden ni'n mynd y ffordd honno. Holais innau hefyd, ond doedd Mutti ddim yn ateb.

"Daliwch ati i gerdded," meddai hi. Gwaeddodd rhai o'r ffoaduriaid eraill ar ein holau, yn dweud wrthon ni y byddem yn mynd ar goll yn y goedwig. Ni chymerodd Mutti unrhyw sylw ohonynt, dim ond cerdded ymlaen heb eu hateb, heb hyd yn oed edrych yn ôl. "Dydw i ddim eisio i neb ein dilyn ni," meddai. "Byddwn yn well ar ein pennau ein hunain."

Toc, unwaith roedden ni'n ddigon pell o olwg pawb ar y ffordd, stopiodd i egluro. "Blant," meddai hi, "pan oedd Papi a minnau'n ifanc, a newydd briodi, cyn i chi'ch dau ddod i'r byd, byddem yn mynd yr holl ffordd o'r ddinas i fferm Yncl Manfred ar gefn beic. Roedd y daith yn bell iawn wrth gadw at y briffordd. Ond roedd Papi yn dda efo mapiau a llwyddodd i gael hyd i ffordd gyflymach. Felly roedden ni bob amser yn dod y ffordd yma – gwaith diwrnod cyfan o reidio caled. Ar droed, efallai y byddwn yn cerdded am ddau ddiwrnod, ond wiw i ni stopio. Byddwn yn rhy oer os stopiwn ni. Ond y peth gorau un, blant, ydi y down ni at nant ymhen rhyw awr neu ddwy. Yno y byddai Papi a minnau'n arfer aros i gael picnic. Does gynnon ni ddim picnic, nac oes? Ond gawn ni yfed hynny fynnwn ni o ddŵr. Bydd yn rhaid i ni ddychmygu'r picnic, yn bydd? Ac efallai y cawn ni hyd i dŷ yn rhywle i ni gael begera am fwyd, wyddoch chi ddim. Mae un peth yn sicr, chaen ni byth fwyd na diod ar y ffordd fawr. Byddai wedi cymryd hydoedd i ni gyrraedd y fferm wrth deithio mor araf. Mae gwaith caled o'n blaenau, blant, ond fe lwyddwn ni. Mae'n rhaid i ni, yn does? Unwaith y cyrhaeddwn ni'r fferm, byddwn yn glyd fel tostyn, ac fe gawn ni hynny o fwyd fedrwn ni ei fwyta. Ydach chi'n cofio sut fyddai Anti Lotti yn pentyrru bwyd ar ein platiau ni? A bydd gwair yn y sgubor i Marlene. Bydd ein problemau i gyd ar ben, gewch chi weld."

Mae'n rhaid bod meddwl am ddiod o ddŵr, a'r gobaith o fwyd, wedi rhoi nerth newydd yn fy nghoesau poenus. Brasgamais ar y blaen, i fyny'r llwybr gwyn o eira. Clywais y nant cyn ei gweld. Byrlymai rhuthr y llifeiriant i lawr oddi ar ochr y bryn i bwll o ddŵr disglair. Gwelwn fod y dŵr wedi rhewi mewn mannau. Roedd yn iasoer, wrth gwrs, ond doedd 'run ohonom yn malio. Safodd Marlene wrth ein hochrau i yfed, yn ysgwyd ei thrwnc yn ôl ac ymlaen yn y dŵr, yn mwynhau pob eiliad fel ninnau.

Am y tro cyntaf, am ychydig funudau, roedd yn bosib anghofio popeth oedd wedi digwydd. Ond unwaith roedden ni'n cerdded ymlaen drachefn drwy'r goedwig, buan iawn yr oedd pawb yn dawel ac yn feddylgar. Ni allai 'run ohonom anghofio'r ddinas yn llosgi tu cefn i ni, y dioddefaint roedden ni wedi'i weld wrth gerdded oddi yno. Hefyd, roedd arogl y mwg yn gryf o hyd – fel petai'n glynu i'r coed o'n cwmpas ym mhobman, yn hofran o'n cwmpas fel niwl melyn.

Roedd Karli'n fyr ei wynt erbyn hyn, yn baglu yn

amlach hyd yn oed, ac yn pesychu bron drwy'r amser a ninnau'n poeni mwy a mwy amdano bob eiliad. Cynigiais innau a Mutti ei gario, ond gwrthodai hynny bob tro. Mynnai aros efo Marlene, yn cerdded ymlaen wrth ei hochr, yn cydio yn ei thrwnc. Doedd dim troi arno. Ond wrth gerdded wrth ei ochr a thu cefn iddo rŵan, gwelai Mutti a minnau fod ei frest yn gwichian mwy drwy'r adeg.

Fy syniad i oedd o, a'r holl flynyddoedd yma'n ddiweddarach, rydw i'n dal yn eithaf balch ohono. "Pan oeddwn i'n fach, cyn y rhyfel, Mutti," meddwn i, "roeddwn i'n arfer cael mynd am reid ar gefn eliffant yn y sw. Ydach chi'n cofio? Chi aeth â fi yno, yntê, cyn i chi fynd i weithio yno? Felly gallai Karli gael reid ar gefn Marlene, gallai? Pam lai?"

"Feddyliais i am hynny, ond dydi o ddim yn syniad da," atebodd Mutti. "Dim ond yr eliffantod hynaf yn y sw oedd yn cael eu defnyddio i gario pobl, ac mae'n rhaid iddyn nhw gael eu dysgu i wneud hynny. Mae Marlene yn rhy ifanc. Does neb erioed wedi bod ar ei chefn. Wn i ddim sut fyddai hi'n ymateb."

"Ond mae'n werth rhoi cynnig arni, Mutti," dadleuais. "Fedr Karli ddim dal ati fel hyn."

"Ella dy fod ti'n iawn," ildiodd Mutti. "Erbyn meddwl, roedd ei mam yn arfer cario pobl yn y sw am flynyddoedd – cyn iddi fynd yn sâl."

Funudau'n ddiweddarach – ac fel y gallwch chi ddychmygu, wnaeth Karli ddim dadlau o gwbl y tro yma – dyna'i godi i eistedd ar wddw Marlene, un goes bob ochr iddo. Er mawr ryddhad i Mutti a minnau, doedd

Marlene ddim fel petai'n poeni o gwbl. Wnaeth hi ddim ond ysgwyd rhyw fymryn ar ei chlustiau a rhochian yn eithaf bodlon. Gyda Karli yn marchogaeth bellach – ac roedd o wrth ei fodd yn gwneud hynny, wrth gwrs – yn fuan iawn roedd ei frest yn well. Ymlwybrodd Marlene ymlaen drwy'r eira fel petai wedi bod yn cario plant ar hyd ei hoes.

Rywfodd, doeddwn i ddim cymaint o eisiau bwyd wedi yfed y dŵr o'r nant. Erbyn i dywyllwch y nos ddod i lawr o'n hamgylch, doedd teimlo ar lwgu ddim yn fy mhoeni i gymaint â'r oerfel. Erbyn hyn roeddwn wedi colli pob teimlad yn fy nhraed a'm dwylo, ond roedd yr oerfel dychrynllyd fel petai'n suddo i'm holl gorff, yn mwydo mêr f'esgyrn. Dro ar ôl tro, crefais ar Mutti i stopio. Y cyfan roeddwn i eisiau'i wneud oedd swatio yn yr eira a syrthio i gysgu am byth. Mutti gadwodd fi i symud y noson honno. Hi a neb arall. Dro ar ôl tro, ei braich o'm hamgylch, sibrydai eiriau o anogaeth i'm symbylu i fynd ymlaen. "Mae pob cam wyt ti'n ei gymryd, Elizabeth," meddai, "yn mynd â thi'n nes at y fferm, yn nes at fwyd, yn nes at wely cynnes. Cofia hynny. Rhoi'r naill droed o flaen y llall. Dyna'r cyfan sydd raid i ti ei wneud. Rho'r naill droed o flaen y llall ac fe gyrhaeddwn ni yno."

A bod yn onest, fedra i ddim cofio llawer ynghylch gweddill y noson hir, ddychrynllyd honno. Gwn i ni unwaith ddod allan o'r coed i ochr agored bryn. Yno y clywsom ni wedyn y sŵn roedd arnom gymaint o'i ofn: seirenau'r cyrch awyr, grwnan pell ac yna rhu'r awyrennau bomio'n dynesu. Mewn dim o dro roedden nhw'n union uwch ein pennau.

"Beth maen nhw'n ei fomio?" gwaeddodd Mutti. "Welan nhw ddim nad oes dinas ar ôl i'w bomio? Y cyfan maen nhw'n ei fomio ydi tân!"

Roedden ni'n sefyll yno ar ochr noeth y bryn a'r belen dân anferthol yn codi dros y ddinas yn ein dallu. Doedd dim geiriau i fynegi ein harswyd, dim dagrau i grio ein gofid. Doedd gan Karli hyd yn oed ddim rhagor o gwestiynau. Roeddem ychydig o bellter o'r ddinas, ond teimlwn wres y tân enfawr hwnnw ar fy wyneb wrth wylio; yn sgrytian peth o'r oerfel ohonof, ac mae'n rhaid i mi gyfaddef ei fod yn gryndod o bleser pur.

Ond, ar unwaith, fe'm llethwyd gan euogrwydd. Meddyliais peth mor ddifrifol oedd mwynhau'r gwres, gorfoleddu ynddo tra oedd miloedd o bobl wedi'u dal yn y ddinas, rhai ohonyn nhw'n ffrindiau ysgol i mi. Meddyliais amdanyn nhw i lawr yn eu llochesau. Oedd hi'n bosib y medrai unrhyw un ohonyn nhw fyw drwy'r fath uffern gynddeiriog â hyn? Trodd Mutti fi oddi wrth yr olygfa. "Dyma'r tro olaf i ni edrych yn ôl, Elizabeth," meddai hi. "O'r munud hwn, edrych ymlaen yn unig wnawn ni." Felly gadawsom y ddinas i losgi ac ymlaen â ni.

Rydw i'n cofio un digwyddiad arall y noson honno, ac mae gen i gywilydd sôn amdano wrthoch chi. Ond fe wna i ddweud wrthoch chi gan fy mod eisio i chi wybod yr hanes yn union fel y digwyddodd, nid fel petawn i wedi dymuno iddo ddigwydd. Waeth faint grefwn i ar Mutti i aros a gadael i ni orffwyso, gwrthodai wrando arnaf. Mwya yn y byd yr oedd hi'n gwrthod, mwya yn y byd yr oeddwn i'n annifyr. Yn y diwedd collodd ei limpin a throi arna i. “Beth wyt ti eisio, Elizabeth,” gwaeddodd. “Wyt ti eisio i ni fferru i farwolaeth allan yn fan’ma? Wyt ti? Dim ond ychydig oriau i ffwrdd mae’r fferm, rhyw ddeuddeg kilometr. Llai efallai. Rhaid i ti ddod at dy hun a dal ati i gerdded.”

Roeddwn innau’n flin efo hi, yn afreolus bron, yn dweud pob math o bethau na ddylwn fod wedi’u dweud, yn sôn am Papi yn mynd i ffwrdd ac yn ein gadael ni, sut mae rhieni bob amser yn difetha bywydau eu plant. Yna cydiodd ynof yn ei breichiau a chofleidio’r dicter allan ohonof, yn dweud wrthyf gymaint yr oedd Papi a hithau hefyd yn fy ngharu, a sut roedd yn rhaid i ni gadw’n fyw er mwyn bod yna i Papi pan fyddai’n dod yn ôl. Rydw i’n cofio i Karli edrych i lawr yn ddryslyd arnom oddi ar gefn Marlene.

Felly wrth i’r bomiau ddisgyn a Dresden gael ei difa, fe gerddon ni i ffwrdd, ymlaen ac ymlaen, heb nerth i ddadlau bellach, heb nerth hyd yn oed i siarad. Fore trannoeth, a’r wawr lwyd-binc a’r golau meddal yn tyfu ar yr eira, fe ddaethon ni i lawr o’r bryniau i ddyffryn, dyffryn roedden ni’n ei adnabod mor dda ac yn ei garu cymaint. Yno, oddi tanom, roedd y fferm lle roedd Yncl Manfred ac Anti Lotti’n byw. Y ffermdy a oedd mor annwyl i ni gyda’r beudái a’r sguboriau o’i gwmpas, a thu hwnt iddynt y llyn a oedd rŵan wedi rhewi’n gorn, a’r ynys yn y canol – ein hynys ni. Roeddem wedi teimlo cymaint o anobaith a thristwch yn ystod y nos ac yn cael hyd i gymaint o lawenydd yn y bore.

Cyflymodd camau Marlene yn sylweddol, a ninnau’n ei dilyn hefyd. Gwyddai hi ein bod bron â chyrraedd, a

brysiodd yn ei blaen. Mae'n debyg nad oedd hyn yn syndod o gwbl gan fod Karli yn gweiddi ac yn chwifio'i ddwylo, i fyny ar ei chefn, a Mutti a minnau'n chwerthin yn uchel mewn rhyddhad. Sylwais o beth pellter i ffwrdd nad oedd dim golwg o anifeiliaid tu allan, ond yna gwyddwn fod hynny'n arferol. Buom yno ddigon o weithiau yn y gaeaf, dros y Nadolig ambell waith, ac roeddwn yn cofio fod Yncl Manfred yn cadw'i anifeiliaid dan do drwy fisoedd gwaethaf y gaeaf. Ond eto i gyd, edrychai'r lle yn rhyfedd o wag.

Dywedodd Mutti yr union beth roeddwn i'n ei feddwl. "Rydw i'n meddwl fod rhywbeth o'i le," meddai hi. "Mae Anti Lotti yn cadw'r stof yna sydd ganddi i fynd drwy'r amser, haf neu aeaf. Wn i hynny'n iawn. Does

dim mwg yn dod drwy'r simnai."

Fel roedden ni'n croesi'r caeau drwy eira trwchus ac yn mynd heibio'r llyn a oedd wedi rhewi'n gorn, cododd heidiau o frain i'r awyr, y rhan fwyaf ohonyn nhw o'r coed poplys ar yr ynys, yn crawcian arnom, yn flin ein bod yn ymyrryd. Ond nhw oedd yr unig arwydd o fywyd. Rhedais o flaen y lleill ac agor giât y buarth. Roedd yr eira wedi lluwchio yn erbyn drws y tŷ. Doedd dim ôl traed ar y buarth, dim un. Yn gyflym edrychais yn y beudái. Roedd pob un yn wag. Doedd Tomi ddim yn ei stabl. Dim ieir yn clwcian yn y cwt. Curodd Mutti ar y drws a galw a galw. Doedd dim ateb. Atebodd neb. Ddaeth neb.

Yna gadewais nhw. Cerddais o amgylch cefn y tŷ i'r

gadlas a'r tŷ gwair lle roedd Karli a minnau wedi chwarae mor aml, yn neidio o ben y das i ganol pentyrrau o wair meddal, melys ei arogl. Am hynny y meddyliwn wrth agor y drws. Roedd yn dywyll tu mewn, felly gwthiai y drws ar agor led y pen i adael i'r golau ddod i mewn.

Gorweddai dyn yn ei hyd ar y gwair, dyn mewn lifrai, lifrai las anghyfarwydd. Edrychai fel petai'n cysgu, neu wedi marw – wyddwn i ddim p'run yn iawn. Roedd Mutti yno'n sydyn wrth f'ochr, a Karli hefyd. Crwydrodd Marlene i mewn ar eu holau. Heb wastraffu amser o gwbl, ymestynnodd ei thrwnc i fyny, cododd beth o'r gwair a'i wthio i'w cheg. Dyna uchel oedd ei sŵn yn cnoi

yn y tawelwch. "Pwy ydi o?" sibrydodd Karl.

"Dyna'r gelyn, Karli," meddai Mutti. "Awyrennwr. O un o'r awyrennau bomio sydd wedi dinistrio'n dinas ni. Prydeiniwr. RAF." Cipiodd bicwarch gyfagos. Cydiodd ynddi'n dynn, dynn yn ei dwy law, a nesaodd ato'n araf."

Rhan Tri

Cylch o Ddur

1.

Tawodd Lizzie. Trodd i edrych arnom. "Rydw i mor flin efo fi fy hun," meddai. "Roeddwn i'n bwriadu dod â'm halbwm lluniau efo fi. Ond rydw i wedi'i adael gartref yn fy fflat fychan pan ddaethon nhw â fi yma. Rydw i'n ei golli'n arw. Roeddwn i'n arfer edrych arno bob dydd. Y pethau y gallwn i fod wedi'u dangos i chi. Mae yna lun ohonon ni i gyd ar y fferm pan oeddwn i'n eneth fach, a Karli hyd yn oed yn llai, yn fabi ym mreichiau Papi – ar adeg hapusach. Rydw i'n caru'r llun hwnnw. Rydan ni i gyd tu allan i'r un tŷ gwair, fi'n eistedd ar gefn Tomi a Mutti'n cydio ynddo. Mae fy ngwallt yn ddwy blethen hir a gwên fawr dyllog ar fy wyneb – mae fy nau ddant blaen ar goll. Yncl Manfred dynnodd y llun, debyg, oherwydd dydi o ddim ynddo. Mae Anti Lotti yn edrych yn ddifrifol, fel arfer.

Pan fydda i'n edrych ar y llun hwn, mae'r cyfan mor glir yn fy meddwl. Bron na fedra i anadlu awyr iach y wlad. Mae gen i lun o Marlene hefyd. Dim ond un – yn dangos mwy o'i thrwnc na dim arall gan ei bod hi'n ceisio bwyta'r camera! Ond mae'n ddigon i ddangos nad dychmygu'r cyfan ydw i.

Weithiau byddaf yn poeni mai math o freuddwyd oedd popeth ddigwyddodd. Ond dim ond i mi edrych ar y lluniau hynny, dwi'n gwybod iddo ddigwydd go iawn ac nad breuddwydio na dychmygu ydw i. Trueni na faswn wedi dod ag o efo fi er mwyn eu dangos i chi."

"Awn ni i'w nôl nhw, os ydach chi eisio," meddwn i. "Os ydach chi'n ymddiried ynom ni efo'ch allwedd."

"Wrth gwrs fy mod i, 'mach i," atebodd. "Cofiwch fy mod yn ymddiried ynoch chi efo fy stori. Ddywedais i ddim wrth neb arall erioed, wyddoch chi. Byddai hynny'n garedig, yn gymwynas fawr. Mae allwedd fy fflat i yma, yn y drôr. Karli, efallai y bydd yn rhaid i ti droi a throsi tipyn ar yr allwedd yn y clo, ond chei di fawr o drafferth. Mae'n ddigon hawdd cael hyd iddo. Y tŷ cyntaf ar Rodfa Siôr, rownd y gornel o'r Stryd Fawr. Dos i fyny'r grisiau, rhif dau." Roedd hi'n ymestyn tuag at y cwpwrdd wrth erchwyn ei gwely wrth siarad, ond doedd ganddi mo'r nerth i dynnu'r drôr ar agor. Felly gwnaeth Karl hynny ar ei rhan, a chwilota yno nes cafodd hyd iddo. Roedd eliffant bychan ar y gadwyn allweddi.

"I'm hatgoffa i," meddai gan wenu. Yna sylwodd ar rywbeth arall yn ei drôr, a bywiogodd ei llygaid yn sydyn. "A! Wel, fydda i byth yn gadael hwn ar ôl. Byth yn mynd i unman hebddo. Karli, fedri di ei estyn i mi? Dyma beth oeddwn i eisio'i ddangos i chi."

I ddechrau, doedd gen i ddim syniad beth allai fod. O'r olwg ddryslyd ar wyneb Karl wrth iddo ei roi iddi, wyddai yntau ddim chwaith. Rhywbeth bychan, crwn, du wedi'i wneud o fetel ydoedd. "Mae'n drwm iawn ac yn oer hefyd," meddai Karl. "Be ydi o?" Erbyn hyn roedd gen i syniad beth oedd o.

"Cwmpawd?" gofynnais. "Ai dyna beth ydi o?"

Roedd Lizzie yn ei droi a'i drosi'n annwyl yng nghledrau ei dwylo, ac fel petai dan ormod o deimlad i siarad am rai munudau.

"Rydach chi'n beffaith gywir," atebodd o'r diwedd. "Cwmpawd i helpu rhywun i gael hyd i'r ffordd gywir ydi hwn. Ond nid unrhyw hen gwmpawd ydi o. Dyma'r cwmpawd gorau yn y byd i gyd. Dyna'r gwir." Agorodd y caead a chyffwrdd yr wyneb â blaenau'i bysedd. "Gwelais y

cwmpawd yma gyntaf y diwrnod hwnnw – y diwrnod y cawson ni hyd iddo'n gorwedd yn y tŷ gwair . . ."

"Weithiau byddaf yn meddwl i'm bywyd gychwyn ddwywaith. Y munud y cefais fy ngeni, wrth gwrs, a'r munud y gwelais i'r dyn yma, yr awyrennwr a oedd wedi bomio fy ninas. Bomiwr, llofrudd, a oedd wedi achosi cymaint o ddioddef i gymaint o bobl. Fel yr oedd Mutti wedi dweud, dyma'r gelyn, yn agos, yn y cnawd.

Nid fo oedd y cyntaf i mi ei weld. Roeddwn wedi gwylio colofnau o garcharorion rhyfel yn cael eu martsio ar hyd strydoedd Dresden amryw o weithiau. A dweud y gwir, doeddwn i erioed wedi cymryd fawr o sylw ohonyn nhw. Roedden nhw'n edrych fwy neu lai fel ein milwyr ni, ond eu bod yn futrach, yn dristach. Byddai rhai pobl yn sgrechian geiriau anweddus, yn rhegi ac yn rhwygo, yn poeri ac yn lluchio pethau atyn nhw. Troi draw fyddwn i. Roedd hynny yn codi cywilydd arna i. Wnes i erioed feddwl y gallai pobl fod mor filain. Fedrwn i ddim dychmygu beth fyddai'n achosi iddyn nhw wneud y fath bethau. Ond, am eiliad, wrth edrych i lawr arno'n gorwedd yno yn y gwair ar fferm Yncl Manfred y bore hwnnw, deallwn yn iawn. Roeddwn yn ei gasáu, ac yn gobeithio ei fod wedi marw. Yna, agorodd ei lygaid. Edrychodd arna i, a gwyddwn yn syth bìn nad oedd yntau, fwy na Papi, yn llofrudd.

Meddyliais yn aml wedyn sut roedd o wedi teimlo pan ddeffrodd a'n gweld ni'n pedwar yn rhythu i lawr arno. Mutti yn anelu picwarch ato, a Marlene fel

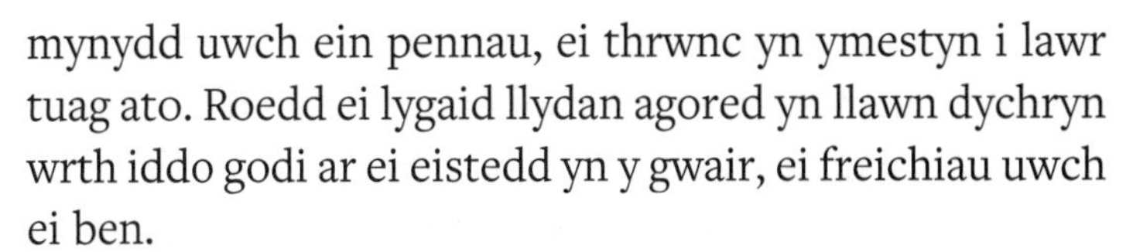

mynydd uwch ein pennau, ei thrwnc yn ymestyn i lawr tuag ato. Roedd ei lygaid llydan agored yn llawn dychryn wrth iddo godi ar ei eistedd yn y gwair, ei freichiau uwch ei ben.

“Sais?” meddai Mutti. Crynai ei llais, yn fwy o ddicter, meddyliais, nag o ofn.

“Nage . . . nein,” atebodd. “Canadiad. O Ganada. Canada.”

“Bomiwr?” Daliai Mutti’r bicwarch gyferbyn â’i wddf rŵan. “RAF?”

Nodiodd y dyn.

“Lloegr, America, Canada, waeth o ble rydach chi’n dod. Wyddoch chi beth ydach chi wedi’i wneud? Oes gynnoch chi unrhyw syniad?” Gwaeddai Mutti arno erbyn hyn, yn crio hefyd yn ei ffyrnigrwydd. “Welsoch chi’r tân wnaethoch chi? Ydach chi’n falch o hynny? Wyddoch chi faint ydach chi wedi’u lladd? Ydach chi’n malio? Oes gynnoch chi unrhyw syniad dinas mor hardd oedd Dresden cyn i chi ddod? Wyddoch chi? Ddyliwn i eich lladd chi, eich lladd chi. Eich lladd chi yn y fan a’r lle y munud yma.”

Cododd Mutti’r bicwarch. Roeddwn yn wir yn meddwl y byddai hi’n ei ladd.

Cythrais am ei braich a dal fy ngafael ynddi. “Peidiwch, Mutti!” gwaeddais. “Wiw i chi! Pa mor aml glywais i chi’n ei ddweud? Wrth Papi, a fi, Yncl Manfred ac Anti Lotti. Dydi lladd ddim yn iawn, waeth be ydi’r rheswm. Dyna beth rydach chi wedi’i ddweud wrthon ni erioed. Ydach chi’n cofio?”

Aeth munudau hir heibio cyn i Mutti roi'r bicwarch i lawr. Yna camodd yn ôl a'i rhoi i mi. "Efallai na fedra i ei wneud," meddai. "Ond roeddwn eisiau gwneud. Dyna beth mae eich bomiau chi yn ei wneud. Gwneud i mi gasáu. Rydw i'n meddwl fy mod i'r munud yma yn eich casáu chi mwy nag yr ydw i wedi casáu neb erioed yn fy mywyd."

"Wela i ddim bai arnoch chi." Er mawr syndod i ni, siaradai'r awyrennwr efo Mutti mewn Almaeneg perffaith bron. "Welais i'r tân o'r awyren. Allwn ni mo'i gredu. Doeddwn i ddim yn disgwyl iddo fod fel yna. Doedd neb ohonon ni."

"O, wir?" meddai Mutti. "Felly eglurwch sut roeddech chi'n meddwl y byddai? Rhyw fath o garnifal? Arddangosfa tân gwyllt, efallai?"

"Mae'n debyg 'mod i'n meddwl y byddai fel y blits ar Lundain. Y cyrch awyr pan ddaeth y *Luftwaffe*," atebodd yr awyrennwr yn dawel, heb ymateb o gwbl i ffyrnigrwydd Mutti. "Roeddwn i yno. Roedd hynny'n ddigon drwg. Ond llosgai'r ddinas fel coelcerthi uffern neithiwr. Dyna beth rydyn ni'n ei wneud yn y rhyfel yma. Pawb ohonon ni. Eich ochr chi a'n hochr ni. Rydan ni'n gwneud uffern ar y ddaear, a dydi o ddim yn edrych fel petaen ni'n medru rhoi'r gorau iddi. Mae'n ddrwg gen i. Wn i nad ydi hynny'n ddigon, ond dyna'r cyfan alla i ei ddweud."

Ddywedodd neb yr un gair am beth amser, nes cododd Karli ei lais, yn torri ar draws y tawelwch rhyngom. "Ydach chi'n hedfan Spitfire go iawn?" gofynnodd.

"Nac ydw, dim ond Lancaster, mae arna i ofn. A beth bynnag, doeddwn i ddim yn ei hedfan. Nid peilot ydw i. Llywiwr ydw i." Gwenodd wedyn. Cofiaf i mi feddwl ei fod yn edrych yn debycach i fachgen nag i ddyn.

"Ac fe gawsoch chi hyd i'r ffordd i Dresden i chi gael gollwng eich bomiau ar filoedd o bobl ddiniwed," meddai Mutti. "Wel go dda chi! Sut mae pobl fel chi yn cysgu'r nos? Dyna beth hoffwn i ei wybod." Edrychodd Mutti o'i chwmpas, yn nerfus yn sydyn. "A'r lleill? Ble mae gweddill eich criw? Oes yna ragor ohonoch chi?"

"Mae pawb arall wedi marw," meddai'r awyrennwr. "Gawsom ni'n taro wrth fynd dros y ddinas. Lladdwyd pawb yn yr awyren, pawb ond Jimbo – fo oedd y peilot – a fi. Dywedodd Jimbo wrtha i am fynd allan ar fy union, am neidio. Dywedodd y byddai'n cadw'r awyren mor gadarn ag y medrai o, ac y byddai'n fy nilyn. Ond wnaeth o ddim. Gwelais yr awyren yn ffrwydro fel yr oeddwn i'n parasiwtio i lawr. Jimbo achubodd fy mywyd i. Ac mae hynny'n beth rhyfedd, wyddoch chi, achos fu Jimbo a finnau'n fawr o ffrindiau a dweud y gwir. Tipyn o ffŵl oedd o, yn meddwl mai un gêm fawr oedd y cyfan – y rhyfel, dwi'n 'i feddwl. Byddai fo a fi'n dadlau o hyd. Ond fe drodd allan i fod yn ffrind eithaf da wedi'r cyfan, yn do? Roedden nhw i gyd yn ffrindiau da, ac maen nhw i gyd wedi mynd erbyn hyn."

"Peidiwch chi â meiddio disgwyl i mi gydymdeimlo â chi," meddai Mutti, yn ddig o hyd ond ddim mor fygythiol erbyn hyn. "Nid ar ôl beth wnaethon nhw, beth wnaethoch chi. A pham ydach chi'n siarad Almaeneg beth bynnag?"

"Mae fy mam yn dod o'r Swistir," meddai'r awyrennwr wrthi, "a fy nhad o Ganada. Felly tyfais i fyny yn siarad Almaeneg a Saesneg."

Doedd gan Karli ddim diddordeb o gwbl yn hyn i gyd. Roedd o'n llawn o'i gwestiynau ei hun. Mynnai Mutti geisio'i rwystro rhag holi'r awyrennwr, ond anwybyddodd Karli hi. Roedd o eisiau gwybod beth oedd enw'r dyn.

"Peter," meddai'r awyrennwr. "Peter Kamm."

Roedd Karli eisiau gwybod faint oedd ei oed.

"Un ar hugain," oedd yr ateb.

Yna penderfynodd Karli gyflwyno pawb. "Karli ydw i. Rydw i'n naw oed. Marlene ydi enw'r eliffant yma, ac mae hi'n dod o'r sw yn Dresden. Mae hi'n bedair oed a fi ydi'r unig un sy'n cael mynd ar ei chefn. Dyma Elizabeth. Mae hi'n un ar bymtheg ac yn mynnu dweud wrtha i beth i'w wneud o hyd. A Mutti . . . wel, Mutti ydi hi. A dwi eisio bwyd. Wyt ti eisio bwyd, Peter?"

Yna cydiodd Mutti yn ei fraich a'i dynnu draw. Ond roedd Karli yn dal i edrych ar y dyn ifanc – fel finnau, a bod yn onest. Dydw i ddim yn meddwl i mi wneud dim byd ond rhythu arno drwy'r adeg. Gan fod ganddo enw rŵan, doeddwn i ddim yn edrych cymaint ar y lifrai. Pan gododd ar ei draed roedd yn llawer talach nag yr oeddwn i wedi disgwyl.

Gyda'r bicwarch yn ei llaw o hyd, gwthiodd Mutti o allan drwy'r drws. Gadawsom Marlene wedi'i chau yno, yn bwyta gwair yn brysur ac yn grwnan yn fodlon.

Doedd hi ddim yn anodd torri ffenest i fynd i mewn i'r tŷ. Dywedodd Mutti ei bod hi'n teimlo'n ofnadwy yn gwneud hynny, ond nad oedd ganddyn nhw ddewis. Go brin y medren ni sefyll allan yn yr eira yn aros, yntê? Byddai'n egluro popeth i Yncl Manfred ac Anti Lotti pan fydden nhw'n dod adref, meddai hi. Fe fydden nhw'n deall. Doeddwn i ddim mor siŵr. Roedd y stof wedi diffodd, ond roedd yn gynnes o hyd, felly doedd fawr o amser er pan oedden nhw wedi mynd. Roedd yno lanast hefyd, fel petaen nhw wedi gadael ar frys mawr. Mwyaf yn y byd roedden ni'n edrych o gwmpas, mwyaf yn y byd roedden ni'n sicr eu bod nhw, fel cynifer o rai eraill, wedi gadael i ymuno â'r dyrfa fawr o bobl a oedd yn ymadael tua'r gorllewin, yn mynd â chymaint ag y medren nhw efo nhw.

Yn ffodus i ni, mae'n rhaid bod Yncl Manfred ac Anti Lotti wedi gadael ar ormod o frys i fynd â'u bwyd i gyd efo nhw. Roedd yno amryw o gosynnau – roedd Yncl Manfred bob amser yn gwneud ei gaws ei hun. Cawsom hyd i ffrwythau mewn jariau a phicls hefyd, a mêl. Ond y peth gorau oedd y darn o ham gyfan y cafodd Mutti hyd iddi i lawr yn y seler. Ar ôl i mi gynnau tân yn y stof, aeth Karli i nôl rhagor o goed o'r sièd. Eisteddodd yr awyrennwr wrth fwrdd y gegin. Cadwodd Mutti lygad barcud arno drwy'r adeg. Roedd hi wedi ei wahardd rhag symud. Sylwais na ollyngodd y bicwarch o'i llaw wrth symud o gwmpas y tŷ.

Pan gynigiodd yr awyrennwr fy helpu i gyda'r tân, arthiodd Mutti, gan ddweud wrtho am aros ble roedd o ac am gadw'n ddistaw. Cafodd Karli a minnau gyfarwyddiadau pendant iawn ganddi i beidio â siarad gydag o o gwbl, hyd yn oed pan eisteddai i lawr wrth fwrdd y gegin i fwyta efo ni. Ond doedd hynny ddim yn ein rhwystro rhag ciledrych yn slei arno o bryd i'w gilydd tra oedd o'n bwyta – yn amlwg roedd yntau ar ei gythlwng hefyd a chymaint o chwant bwyd arno â ninnau. Felly roedden ni i gyd yn bwyta mewn tawelwch. Yna, gadawodd Mutti y gegin i fynd i weld oedd Marlene yn iawn. Cyn mynd allan rhoddodd y bicwarch i mi gan ddweud wrthyf am ei defnyddio os byddai rhaid.

Mae'n gas gen i dawelwch rhwng pobl. Felly y bûm i erioed. Roeddwn yn dyheu am ddweud rhywbeth wrth Peter tra oedd Mutti o'r ystafell, ond roeddwn yn rhy swil, a beth bynnag, fedrwn i ddim meddwl am ddim byd i'w ddweud.

Ond fu Karli erioed yn swil, erioed yn ara deg i ddweud rhywbeth. Cyn i mi sylweddoli, roedd wedi codi o'r bwrdd ac yn jyglo efo dau fochyn coed mawr roedd o wedi cael hyd iddyn nhw ar sil y ffenest. "Fedri di wneud hyn?" galwodd.

"Mae fy mrawd bach i'n hoffi gwneud triciau," eglurais. "Mae wrth ei fodd yn bod yn ffŵl. Tipyn o actor, debyg."

"Wela i hynny," meddai Peter. "Mae'n f'atgoffa ohonof fy hun, pan oeddwn innau'n fach. Dyna sut oeddwn i pan oeddwn i gartre yng Nghanada. Yn actio, dwi'n 'i feddwl. Dyna'r cyfan oeddwn i eisio'i wneud – mynd ar y llwyfan, fel fy mam o'm blaen, a fy nhad. Roeddwn i newydd ddechrau yn Toronto a digwyddodd hyn i gyd. Beth bynnag, bydd drosodd yn fuan, a phan fydd o, rydw i'n mynd yn ôl ar f'union. Cyntaf yn y byd, yn fy marn i."

Roeddwn yn hoffi gwrando arno'n siarad. Roedd mor fywiog, mor frwdfrydig, mor benderfynol. Y gwir oedd fy mod yn mwynhau ei gwmni, er fy mod yn gwybod na ddylwn i ddim, wrth gwrs. Gallwn ddweud, dach chi'n gweld, ei fod o'n hoffi bod efo fi, yn siarad efo fi, yn edrych arna i. Rydw i'n meddwl, efallai, mai dyna pam y teimlwn mor gartrefol yn ei gwmni. Pan ydach chi'n ifanc, ac yn cyfarfod â rhywun sy'n eich hoffi, mae'n deimlad cryf. Cryf iawn.

Ond hawliodd Karli sylw Peter unwaith eto gyda'i jyglo felltith. Pedwar mochyn coed erbyn hyn. Roedd o'n dechrau mynd yn uchelgeisiol. Ychydig funudau'n ddiweddarach, pan ddaeth Mutti i mewn drachefn, gwelodd Peter a Karli yn eistedd fel dau deiliwr ar y llawr o flaen y stof, yn sgwrsio pymtheg y dwsin. Roedd gan Peter rywbeth yn ei law ac yn ei ddangos i Karli, a Karli wedi'i gyfareddu ganddo. Fedrwn i ddim clywed beth roedden nhw'n ei ddweud yn iawn, na gweld beth ydoedd. Doeddwn i ddim yn talu fawr o sylw gan fy mod yn brysur wrth y sinc erbyn hyn. Gwaeddodd Mutti ar Karli i godi ar ei draed a dod ati ar unwaith.

"Edrychwch, Mutti!" meddai, yn ei hanwybyddu'n gyfan gwbl. "Mae gan Peter gwmpawd. Mae o'n sôn ei fod fel hud a lledrith ac wedi dweud popeth amdano wrtha i. Wyddoch chi, does ond raid iddo ei bwyntio i'r cyfeiriad iawn, a bydd yn mynd ag o'r holl ffordd adref."

"Dydi o ddim yn mynd adref, Karli," meddai Mutti, yn cydio yn ei fraich ac yn ei dynnu ar ei draed. "Ddywedais i wrthat ti am beidio â siarad efo fo, yn do?"

"Arna i oedd y bai," meddai'r awyrennwr, yn dal ei ddwylo i fyny. "Gwrandewch . . . mae'n ddrwg gen i . . ."

"Mae'n ddrwg gynnoch chi bob amser," aeth Mutti yn ei blaen yn chwerw. "Rydach chi'n dda iawn am ymddiheuro. Wel, gewch chi fod yn 'ddrwg gynnoch chi' mewn gwersyll carcharorion. Cyn gynted ag y medra i, byddaf yn gadael i'r *Abwehr*, yr heddlu, eich cael chi. Maen nhw siŵr o fod yn chwilio amdanoch chi. Mae'n rhaid eu bod nhw wedi gweld y parasiwt yn dod i lawr. Yn hwyr neu'n hwyrach fe ddôn nhw i chwilio amdanoch chi, a byddaf yn gadael iddyn nhw eich cael chi. Yn y cyfamser, peidiwch chi â bod yn wên-deg efo fy mhlant i. Peidiwch chi â meiddio siarad efo nhw. Wiw iddyn nhw siarad efo chi chwaith. Ydach chi'n fy nghlywed i? Ac os byddwch chi'n ceisio dianc, byddwch yn sicr o naill ai fferru i farwolaeth allan yn fan'na, neu bydd yr *Abwehr* yn eich dal chi. Pa ffordd bynnag, dydach chi ddim yn mynd adre." Daliodd ei llaw allan am y cwmpawd. "Gymera i'r cwmpawd yna, os gwelwch yn dda. Hebddo, fyddwch chi ddim yn mynd adref, nac i unman arall chwaith."

Cymerodd Peter dipyn o amser i godi ar ei draed. Ni ddywedodd yr un gair. Roedd o'n dalach o lawer na Mutti; edrychodd i lawr arni, caeodd y cwmpawd a'i roi iddi.

2.

Cofiaf sefyll yno, yng nghegin Anti Lotti, yn gwylio'r ddau'n wynebu'i gilydd, a theimlo'n gymysglyd iawn. Fedrwn i ddim deall sut y gallai Mutti ymddwyn fel hyn. Roedd y sefyllfa'n ymddangos mor rhagrithiol i mi. Ar hyd fy mywyd, roedd Mutti wedi rhoi'r argraff ei bod hi'n heddychwraig danbaid. Siaradai yn erbyn rhyfel bob amser. Bu rhwyg mawr yn ein teulu ni oherwydd hynny. Ond dyma hi rŵan yn llawn dicter difaddeuant, yn gas, yn ddialgar hyd yn oed, tuag at rywun a oedd yn gwneud ei orau glas i fod yn garedig ac yn barod i roi help llaw, er ei fod yn gwisgo lifrai ein gelynion. Roeddwn eisiau dweud wrthi yn y fan a'r lle beth roeddwn yn ei feddwl ohoni, ond doeddwn i ddim yn teimlo y medrwn wneud hynny o flaen Peter. Nid dyna'r amser.

Poenai rhywbeth arall fi'n fwy fyth. Rhywbeth a deimlwn ac yr oeddwn yn gwybod na ddylwn fod yn ei deimlo, rhywbeth na fedrwn sôn amdano wrth Mutti, o bawb, ac yn sicr nid wrth Karli. Fedrwn i ddim dweud wrth neb oherwydd roedd yn rhy ofnadwy, oherwydd na fyddai neb yn deall. Roedd fy meddwl yn corddi. Roedd yn rhaid i mi fynd allan. Rhedais o'r tŷ ac ar draws y buarth i fod efo Marlene. Wrth eistedd yno yn y gwair yn ei gwylio'n cnoi, dywedais y gwir dychrynllyd wrthi na feiddiwn ei ddweud wrth neb arall.

Wrth sôn am y peth rŵan, yr holl flynyddoedd yma'n ddiweddarach, rydw i'n swnio fel hen eneth wirion, ramantus ac, wrth gwrs, dyna'n union yr hyn oeddwn i. Eisteddais yno yn torri 'nghalon. Dywedais wrth eliffant, eliffant o bopeth, fy mod yn caru'r dyn hwn – yr awyrennwr yma, y gelyn yma, nad oeddwn wedi'i adnabod er pedair awr ar hugain hyd yn oed. Fy mod yn gwybod y byddwn yn ei garu hyd diwrnod fy marwolaeth. Wn i ei fod yn swnio'n hurt bost, ond dyna sut roeddwn i'n teimlo. Yn un ar bymtheg oed, mae teimladau'n gryf iawn, yn sicr iawn.

"Ydi hynna'n beth drwg iawn, Marlene?" meddwn i. "Ydi o'n beth ofnadwy i garu rhywun ddylai fod yn elyn i mi, sydd newydd fomio fy ninas i, sydd newydd ladd fy ffrindiau? Ydi o'n ddrwg ddifrifol?" Edrychais i fyny i'w llygaid llaith.

Ysgydwodd ei chlustiau'n dyner tuag ataf gan duchan yn ddwfn tu mewn i'w chorff mewn ateb. Roedd yn ddigon i mi wybod ei bod hi wedi gwrando, ac wedi deall, ac nad oedd hi'n fy meirniadu. Dysgais rywbeth am gyfeillgarwch gan Marlene y diwrnod hwnnw nad ydw i byth wedi'i anghofio. I fod yn ffrind go iawn, mae'n rhaid i chi fod yn dda am wrando. Y diwrnod hwnnw dysgais fod Marlene yn ffrind go iawn. Arhosais allan yno'n hir yn nhŷ gwair Yncl Manfred. Marlene oedd yr unig un yn y byd i gyd a wyddai fy nghyfrinach, a doeddwn i ddim eisiau bod efo neb ond hi. Roedd yn anodd iawn mynd yn ôl i mewn i'r tŷ. Rydw i'n meddwl mai'r oerfel yn unig a yrrodd fi'n ôl.

Wedi ymlâdd, mae'n debyg, ar ôl cerdded mor hir drwy'r eira, ac yn ceisio cynhesu o hyd, roeddem i fyny'r grisiau yn y gwely erbyn diwedd y prynhawn, y tri ohonom yn y llofft fawr uwchben y gegin – ystafell Anti Lotti ac Yncl Manfred. Swatiodd y tri ohonom gyda'n gilydd o dan bentwr o blancedi, gan adael Peter yn cysgu ar y gadair wrth ymyl y stof i lawr y grisiau. Sodrodd Mutti gadair yn erbyn drws y llofft.

"Dydw i ddim yn trystio'r dyn yna," meddai hi. Erbyn hynny, roeddwn i'n llawer rhy flinedig i ddadlau. Cysgodd pawb drwy weddill y diwrnod hwnnw a thrwy gydol y nos.

Pan ddois i lawr y grisiau i'r gegin fore trannoeth, eisteddai Peter wrth y bwrdd gyda map ar agor o'i flaen. Gwenodd pan welodd fi, a galw arnaf i ddod draw ato ar unwaith. "Rydw i eisiau dangos rhywbeth i chi, Elizabeth. Rydw i wedi bod yn meddwl am hyn drwy'r nos," meddai. "I'r gorllewin rydach chi'n teithio, yntê? Draw oddi wrth y Rwsiaid? Rydw i wedi gweld y ffyrdd, yn llawn o ffoaduriaid, yn mynd tua'r gorllewin i gyd. Dyna ble mae'n rhaid i mi fynd hefyd. Felly rydach chi'n mynd yr un ffordd â fi. Tua fan'ma, wrth ymyl Heidelberg, mae byddinoedd agosaf y Cynghreiriaid, dwi'n meddwl. Mae'r fyddin Americanaidd ryw ddau gan milltir i ffwrdd, efallai mwy. Dydw i ddim yn siŵr. Ffordd bell, beth bynnag, dyna'r cyfan wn i. Ond gyda fy nghwmpawd, dwi'n meddwl y medren ni gyrraedd atyn nhw. Fedra i ddim mynd ar hyd y ffyrdd. Mae'n rhy beryglus i mi yn fy lifrai. Fedren ni fynd ar draws gwlad, teithio llawer yn ystod y nos, gorffwyso yn ystod y dydd. Mae'n rhaid i mi fynd. Fedra i ddim aros yma i gael fy nal. Ydach chi'n deall?"

Siaradodd Mutti o'r tu cefn i mi. Doeddwn i ddim wedi'i gweld yn dod i mewn. "Dydan ni ddim yn mynd i unman," meddai hi'n ddeifiol.

"Felly bydd raid i mi fynd ar fy mhen fy hun," meddai Peter wrthi. "Mae'n rhaid i mi fynd adref. Does bosib nad ydach chi'n deall hynny?"

"I chi gael dod yn ôl i'r Almaen a bomio rhagor arnon ni, mae'n debyg," atebodd Mutti. Cododd ei hysgwyddau, a cherdded heibio iddo tuag at y stof. "Ewch chi, os ydach chi eisio. Does dim ots gen i bellach. Fedra i mo'ch rhwystro chi. Wn i hynny erbyn hyn. Roeddwn yn hurt yn meddwl y medrwn i. Ond rydan ni'n aros yma." Trodd ataf i wedyn. "Bydd Marlene angen dŵr, Elizabeth," aeth yn ei blaen. "Allet ti fynd â hi i lawr at y ffrwd. Sylwais nad oedd wedi rhewi ddoe, roedd yn dal i redeg . . ."

Torrodd Peter ar ei thraws: "Dim ond meddwl oeddwn i . . . y cyfan oeddwn i'n geisio'i ddweud oedd efallai y byddai gynnon ni i gyd well siawns petaen ni'n aros efo'n gilydd. Petaen ni'n helpu'r naill a'r llall. Medraf eich arwain chi at yr Americanwyr efo fy nghwmpawd. Ar ôl i ni gyrraedd atyn nhw, medrwn i helpu."

"Mae'r plant wedi blino gormod i symud ymlaen," meddai Mutti'n bendant, yn gwrthod gwrando arno. "A beth bynnag, dydan ni ddim angen eich help. Rydan ni wedi llwyddo'n eitha da ar ein pennau ein hunain hyd yn hyn. Fe arhoswn ni am ychydig ddyddiau, i'r eira glirio, ac yna symud ymlaen. Does arnon ni mo'ch angen chi. Dydyn ni ddim mo'ch eisiau chi."

Fedrwn i ddim dal fy nhafod eiliad yn rhagor. Rhoddais lond pen iddi. Dywedais wrthi am beidio â bod yn hollol hurt, fod arnon ni angen help Peter, a'i bod hi'n gwybod hynny. Rhuthrais allan mewn tymer wedyn a mynd i'r tŷ gwair i dywys Marlene i lawr at y ffrwd. Yfodd yn hir ac yn ddwfn, yn mwynhau pob eiliad yno, yn llenwi ei thrwnc dro ar ôl tro ac yna'n tywallt y dŵr i lawr ei gwddw. Unwaith y gorffennodd yfed, dechreuodd slochian ei thrwnc drwy'r dŵr rhewllyd gan ei dasgu drosof. Doeddwn i ddim yn gwerthfawrogi hynny o gwbl. Toc, ceisiais ei denu oddi yno, yn ei thywys gerfydd ei thrwnc, gerfydd ei chlust. Gwyddwn ei bod yn ymateb i synau clician Karli a rhois gynnig ar hynny i geisio'i chael i symud. Ond doedd dim byd yn tycio. Gwrthododd symud. Crwydrodd i lawr y ffrwd gan f'anwybyddu'n llwyr. Roeddwn i'n wlyb, meddwn wrthi. Roeddwn i'n oer. Crefais arni i ddod allan. Ond doedd arni ddim awydd gwrando bellach. Dyna pryd y clywais Mutti'n sgrechian, nid o'r tŷ fel y tybiwn ar y dechrau, ond o lan y llyn ymhellach draw.

Gadewais Marlene a rhedeg. Clywn Karli hefyd rŵan

yn bloeddio'n uchel. Doedd gen i ddim syniad beth allai fod wedi digwydd nes i mi fynd drwy giât y buarth ac allan i'r cae. Roedd twll yn y rhew tua hanner ffordd rhwng glan y llyn a'r ynys a Karli wedi disgyn drwy'r rhew. Y cyfan ohono a welwn i oedd pen tywyll a dwylo'n chwifio wrth iddo ymlafnio i gael gafael mewn rhywbeth wrth geisio cadw'i hun ar y wyneb. Fedrai Karli ddim nofio. Roedd Mutti ar lan y dŵr, yn sgrechian ac yn crio, a Peter yno wrth ei hochr yn ei dal yn ôl, ei freichiau'n dynn am ei chanol a hithau'n ymladd i ryddhau ei hun o'i afael.

"Mae'n rhaid i chi aros fan'ma," meddai wrthi. "Arhoswch fan'ma. Mae popeth yn iawn. Fedra i gyrraedd ato. Gadewch o i mi." Yna gwelodd fi a gwaeddodd arna i i fynd i nôl rhaff.

Cofiais fod rhaff yn y sièd ger stabl Tomi lle roedd Yncl Manfred yn cadw tŵls a harneisiau, cadwynau a rhaffau – popeth. Erbyn i mi gael hyd i raff a rhedeg yn ôl efo hi i lawr at lan y llyn, gwelwn fod Peter draw ymhell ar y rhew, ar ei bengliniau wrth y twll yn ymestyn allan at Karli a oedd yn diflannu o'r golwg dan y dŵr o hyd. Llwyddodd Peter i gydio mewn un llaw iddo a dal ei afael arni. Ceisiais innau rwystro Mutti rhag mynd allan ar y rhew, ond doeddwn i ddim yn ddigon cryf. Gwrthododd aros ar ôl eiliad yn rhagor. Cydiodd y ddwy ohonom yn ein gilydd, yn ymdrechu i gadw ar ein traed wrth ymlwybro'n simsan ar draws y rhew tuag atyn nhw.

"Dim pellach!" galwodd Peter. "Peidiwch â dod yn nes. Cydiwch yn un pen i'r rhaff, Elizabeth, a gadewch i mi gael y llall."

Dolennais hi'n gyflym. Chwyrlïais hi rownd a rownd fy mhen cyn ei lluchio mor bell ag y gallwn. Ond aeth ei blaen ddim yn ddigon pell. Tynnais hi'n ôl a rhoi ail gynnig arni. Y tro yma disgynnodd yn ddigon agos at Peter. Llwyddodd i ymestyn allan a chydio ynddi. Siaradai efo Karli drwy'r adeg, yn ceisio'i dawelu. Llwyddodd rywfodd i glymu'r rhaff o dan ei geseiliau, o amgylch ei gorff. "Mae o gen i!" gwaeddodd. "Rŵan, tynnwch, ond tynnwch yn araf."

Wrth i Mutti a minnau gymryd pwysau'r rhaff, cydiai Peter yng nghefn côt Karli a'i lusgo allan. Funudau'n ddiweddarach, gorweddai Karli yn llipa ar y rhew. Llusgodd Peter o oddi yno, ei godi yn ei freichiau a baglu heibio i ni. Roedd wyneb Karli yn llwyd a'i gorff yn llipa a difywyd. Rhedai Mutti wrth eu hochr, yn galw ar Karli i ddeffro drwy'r adeg.

Wedi cyrraedd y tŷ, rhoddodd Peter Karli i orwedd i lawr o flaen y stof. Pliciodd Mutti ac yntau ei ddillad gwlyb oddi amdano a mynd ati i'w rwbio'n egnïol gan ei orchuddio â blancedi. Y cyfan fedrwn i ei wneud oedd sefyll yno a gwylio, yn gweddïo am unrhyw arwydd o fywyd yn fy mrawd bach. Doedd dim arwydd. Dim symudiad. Dim anadlu. Roedd Mutti bron yn wallgof erbyn hyn, yn wylofain uwchben Karli ac y ceisio'i ysgwyd yn effro. Helpodd Peter hi i godi ar ei thraed a throdd ataf i.

"Edrychwch ar ôl eich mam, wnewch chi?" meddai. Felly rhoddais fy mreichiau amdani a chydio ynddi'n dynn. Y cyfan fedren ni ei wneud oedd gwylio mewn arswyd a gobaith tra oedd Peter yn penlinio uwchben Karli, yn rhoi ei ddwylo ar frest Karli a dechrau pwmpio. Yna cododd ei ên ac anadlu'n ddwfn i'w geg. Pwmpiodd drachefn a thrachefn. Aeth munudau hir heibio, rhai

hiraf fy mywyd. Doedd Karli ddim yn ymateb o gwbl. Roedd yn berffaith lonydd a'i wefusau'n las. Gwyddwn y gallai hynny olygu fod popeth drosodd, nad oedd pwrpas dal ati, ac nad oedd modd gwneud dim byd bellach i ddod ag o'n ôl yn fyw.

Ond doedd Peter ddim yn anobeithio, dim am eiliad. Stopiodd yn unig i roi ei glust ar frest Karli i wrando am ei anadl. "Ty'd yn dy flaen, Karli!" gwaeddodd. "Ty'd 'laen!" Yna, daliodd ati i bwmpio, pwmpio.

Troais at Mutti a chladdu fy mhen yn ei hysgwydd, y ddwy ohonom yn torri'n calonnau, yn crio ac yn crio. Yna, clywsom sŵn poeri. Edrychais, a gwelais lygaid Karli'n agor. Pesychodd. Pistylliodd y dŵr o'i geg ac ar lawr y gegin, yn llifo ac yn llifo. O'r diwedd roedd y cyfan wedi dod allan ac yntau'n gorwedd yno, yn anadlu'n drwm, a gwên lydan, braf ar draws ei wyneb wrth iddo ein hadnabod.

Eisteddodd Peter yn ôl ar ei bengliniau, ei ddwylo dros ei wyneb. Roeddwn i eisiau ei gofleidio yn y fan a'r lle; ei gofleidio'n dynn a pheidio â'i ollwng byth. Roedd Mutti ar ei gliniau, yn cydio ym mreichiau Karli, yn cusanu ei wyneb i gyd a Karli eisoes yn ddigon cryf i geisio'i gwthio draw – doedd o'n fawr o un am gael ei gusanu, gan Mutti na fi na neb arall chwaith. Yna penliniais o flaen Peter a thynnu ei ddwylo oddi ar ei wyneb. Gwelwn ei fod yntau wedi bod yn crio hefyd. Yn y munud hwnnw, wrth i'n llygaid gyfarfod, gwyddwn ei fod o'n teimlo yn union yr un fath â minnau.

"Diolch," meddwn i, yn dal i gydio yn ei ddwylo. "Diolch, diolch." Trodd y dagrau'n chwerthin yn fuan wrth i Mutti ddwrdio Karli. Roedd hi'n fam flin unwaith eto.

"Pam? Beth oeddet ti'n ei wneud allan yn fan'na ar y rhew, Karli?" gwaeddodd. "Be ddaeth dros dy ben di?"

"Dim ond ceisio mynd i'r ynys oeddwn i," meddai Karli, "i weld y tŷ adeiladodd Papi i ni yn y goeden. Roeddwn i bron wedi cyrraedd, ac yna torrodd y rhew. Nid fy mai i oed o. Bai'r rhew oedd o. Roedd y rhew yn rhy denau."

Roedd dillad Yncl Manfred braidd yn fach i Peter a'r trowsus yn llac am ei ganol, ond roedd popeth yn sych, a dyna'r unig beth a oedd yn bwysig. Yn fuan, eisteddai Peter ger y stof, Karli wedi'i lapio mewn blanced o hyd wrth ei ochr, yn parablu am ein tŷ yn y goeden ar yr ynys ac fel yr oedd y ddau ohonom yn arfer chwarae môr-ladron yno. Môr-ladron o *Treasure Island* – hoff lyfr Papi pan oedd yn fachgen bach. Karli oedd Long John Silver bob amser am ei fod yn well na fi am fod yn gloff, a'i fod yn well am fod yn greulon hefyd.

Roedd Mutti wrthi'n brysur o flaen y stof yn gwneud potes tatws. Sylwais ei bod hi'n ddistaw iawn. Edrychai fel petai'n meddwl yn ddwys. Doedd hi ddim wedi dweud yr un gair wrth Peter ers iddo achub Karli, ddim hyd yn oed pan ddaeth i lawr y grisiau yn gwisgo dillad a chlocsiau Yncl Manfred. Chwarddodd Karli a fi, er bod wyneb Mutti yn oeraidd fel carreg o hyd. Ond roedd yna newid. Doedd hi ddim yn dweud wrthon ni am beidio â siarad efo fo rhagor, a doedd dim golwg o'r bicwarch. Eisteddodd pawb i lawr wrth y bwrdd, i fwynhau'r potes poeth. Roedd Karli'n dal i gymryd arno ei fod yn Long

John Silver, yn gweiddi "Io ho ho!" ar ôl pob cegaid o botes, ac yn gwneud sŵn parot.

Edrychodd Peter a finnau ar ein gilydd uwchben y potes, yn gwenu oherwydd giamocs Karli ac yn gwenu i lygaid ein gilydd hefyd.

Yr eiliad y clywais y curo, gwyddwn ar unwaith mai'r heddlu oedd wrth y drws. Gwelais yr ofn yn llygaid Peter. Does neb yn curo ar y drws fel yr heddlu.

3.

"Gawn ni ddod i mewn?"

Nid cais oedd o ond gorchymyn. Roedd tri ohonyn nhw yno – milwyr, nid plismyn. Gyda'u gynnau, eu helmedau a'u cotiau mawr roedden nhw fel petaen nhw'n llenwi'r ystafell.

"Ydach chi'n byw yma?" gofynnodd y milwr. Un ohonyn nhw oedd yn siarad, tra oedd y lleill yn cerdded o amgylch yr ystafell fel petaen nhw'n chwilio am rywbeth neu rywun.

"Mae fy chwaer yn byw yma," meddai Mutti, "efo'i gŵr. Ond maen nhw wedi mynd i ffwrdd. Ni sy'n byw yma rŵan. Fi, fy merch a'm dau fab. Mae fy ngŵr i ffwrdd yn ymladd y Rwsiaid."

"Rydan ni'n chwilio am barasiwtydd. Daeth adroddiadau am barasiwt yn dod i lawr heb fod yn bell o fan'ma. Saethwyd awyren fomio'r gelyn i'r llawr,

Lancaster Brydeinig. Syrthiodd ychydig gilometrau draw o fan'ma. Gawsom ni hyd i'r darnau wedi'u dryllio. Mae un o'r diawliaid yma yn rhywle. Felly rydan ni'n chwilio pob tŷ, pob fferm. Welsoch chi rywun?"

"Naddo," atebodd Mutti. "Dim ond ni sydd yma. Daethon ni o Dresden ddoe; dihangon ni o'r ddinas."

"Does dim dinas bellach," meddai'r plisman. "Does dim Dresden erbyn hyn. Mae cynifer wedi marw. Mae'n amhosib gwybod faint yn union. Y ffernols diawl. Rydw i'n dweud wrthoch chi, os cawn ni hyd i hwn, mae gwersyll carcharorion yn rhy dda iddo. Fe saethwn ni o gyntaf a'i holi wedyn."

"Sarjant! Sarjant!" gwaeddodd rhywun o'r tu allan. "Dowch ar unwaith!" Daeth milwr arall, un llawer

ieuengach, i'r golwg yn y drws yn fyr ei wynt ac yn llawn cyffro. "Wnewch chi ddim coelio hyn, Sarjant. Ond mae 'na eliffant, allan yn fan'na, yn y tŷ gwair."

"Eliffant?"

"Ie, Sarjant. Roedden ni'n chwilio drwy'r beudái fel y dwedsoch chi, ac fe aethon ni i'r tŷ gwair, a dyna lle roedd o."

"Hi ydi hi," meddai Mutti. "Marlene ydi ei henw hi. Rydw i'n gweithio yn y sw, efo'r eliffantod, yn Dresden. Hi oedd yr unig anifail y llwyddon ni i'w achub. Roedd yn rhaid saethu'r gweddill oherwydd y bomio. Rydw i wedi dod â hi yma i fferm y teulu. Wyddwn i ddim ble arall i fynd."

Dywedwyd wrth yr ieuengaf o'r tri milwr am aros efo ni i'n gwarchod, tra oedd y gweddill yn mynd allan. Roedd Karli ar fin dweud rhywbeth, ond edrychodd Mutti yn stowt arno a rhoi ei bys ar ei cheg. Ticiodd y cloc ar y wal yn uchel yn y distawrwydd. Fedrwn i ddim dioddef y tyndra. Chwiliais am law Peter o dan y bwrdd, a chael hyd iddi. Clywsom nhw'n dod yn ôl ar draws y buarth, eu lleisiau uchel yn llawn cyffro. Yna roedden nhw'n ôl yn y gegin.

"Yr eliffant yma, ydi hi ddim yn beryg?" gofynnodd y Sarjant.

Ysgydwodd Mutti ei phen. "Edrycha i ar ei hôl hi," meddai hi wrthyn nhw. "Rydw i'n adnabod yr eliffant yma er pan gafodd hi ei geni. Mae hi'n ddiniwed fel cath fach, dwi'n addo i chi."

"A welsoch chi ddim awyrennwr, dim parasiwtydd?" aeth yn ei flaen.

"Naddo," meddai Mutti. Siaradai'n ddidaro iawn. "Petawn i'n gweld un ohonyn nhw, ar ôl beth wnaethon nhw i Dresden, mi saethwn o fy hun."

"Eich papurau?" gorchmynnodd. "Rydw i eisiau gweld eich papurau chi."

"Mae'n ddrwg gen i. Dydyn nhw ddim gynnon ni. Maen nhw i gyd yn Dresden, yn ein tŷ ni," meddai Mutti, yn codi'i hysgwyddau. "Roedden ni allan yn y parc pan glywson ni seirenau'r cyrch awyr, ac yna'r awyrennau bomio. Wnaethon ni ddim byd ond rhedeg."

"Eich enwau felly," meddai'r Sarjant, yn tynnu'i lyfr bach allan. "Mae'n rhaid i mi gael eich enwau chi."

Rhoddodd Mutti ein henwau iddo, pob un ohonom, Peter yn olaf un.

"A faint ydi dy oed di?" gofynnodd y Sarjant i Peter. Synhwyrais yr amheuaeth yn ei edrychiad a'i glywed o yn ei lais.

"Un ar hugain," meddai Peter wrtho.

"Felly pam nad wyt ti'n gwisgo lifrai, pam nad wyt ti yn y fyddin?"

Petrusodd Peter. Karli atebodd drosto. "Mae o a fi'n cael asthma," meddai. "Mae o'n mynd yn fyr o wynt ac yn cael asthma. Mae pawb yn yr ysgol yn dweud na cha i fod yn filwr pan fydda i'n fawr, a dwi eisio bod yn –"

"Mae hynna'n wir," torrodd Mutti ar ei draws. "Mae fy mab wedi cael ei esgusodi rhag gorfod gwneud gwasanaeth milwrol, am resymau meddygol – asthma."

Doeddwn i ddim yn siŵr o gwbl fod y sarjant yn credu beth oedd o'n ei glywed. Teimlwn yn sicr y byddai rhagor o gwestiynau. Ond, yn wyrthiol, doedd 'na ddim.

Pan saliwtiodd y sarjant, cofiaf i Karli roi'r *Hitlergruss* iddo, y salíwt fraich syth roedden ni i gyd wedi'i dysgu yn yr ysgol, a dywedodd, "Heil Hitler," yn llawn brwdfrydedd ac argyhoeddiad, yn chwarae'i ran yn berffaith. Yna, aeth y milwyr. Teimlwn fy nghalon yn dyrnu yn fy ngwddw wrth i mi wrando ar yr olaf o'u lleisiau a'u chwerthin yn llithro ymaith tu allan. Testun eu sgwrs fel yr oedden nhw'n gadael oedd yr eliffant yn y tŷ gwair, a'r sw yn Dresden. Roedd un ohonyn nhw wedi bod am reid ar gefn eliffant yn y sw hwnnw pan oedd o'n fach, meddai fo. Wedyn, dim byd arall.

Aeth Mutti at y ffenest i wneud yn siŵr. "Mae popeth yn iawn, maen nhw wedi mynd," sibrydodd.

Daeth draw ac eistedd i lawr wrth y bwrdd efo ni, ei hwyneb yn glaerwyn, fel y galchen. Am rai munudau, ni siaradodd Peter na Mutti, dim byd ond eistedd yno yn gwneud dim ond edrych ar y naill a'r llall ar draws y gegin.

Cymerodd Mutti wynt mawr ac meddai hi, "Wnest ti ddim gorffen dy botes, Peter. Bydd yn oeri. Bwyta, bwyta." Yna ymbalfalodd yn ei phoced. Tynnodd y cwmpawd allan a'i wthio ato ar draws y bwrdd. "Dy eiddo di, dwi'n meddwl."

"Diolch," meddai Peter, yn cydio ynddo. "Ac am beth wnaethoch chi gynnau. Diolch i chi."

"Bydd yn rhaid i ti a fi, Peter, ddod i ddeall ein gilydd," aeth Mutti yn ei blaen. "O hyn ymlaen, dim rhagor o 'mae'n ddrwg gen i,' na 'diolch yn fawr'. Yr hyn a wnaed, a wnaed. Mae'r gorffennol tu cefn i ni. Rwyt ti'n un o'r teulu bellach. Rydw i wedi bod yn meddwl. Roeddet ti'n iawn pan ddywedaist ti wrth Elizabeth y dylen ni gadw efo'n gilydd a helpu'r naill a'r llall. Rydan ni i gyd eisiau mynd tua'r gorllewin, draw rhag y Rwsiaid, draw oddi wrth y bomio. Felly fe awn ni gyda'n gilydd, ar draws gwlad, fel y dywedaist ti. Bydd yn fwy diogel i ni i gyd. Fedr y peth cwmpawd yna wir ein harwain ni at yr Americanwyr?"

Gwenodd Peter. "Medr, yr holl ffordd, os medrwn ddal ati i fynd, os byddwn ni'n lwcus. Ond rydw innau wedi bod yn meddwl, a dydw i ddim mor siŵr erbyn hyn ei fod yn syniad mor dda â hynny i gadw efo'n gilydd. Doeddwn i ddim yn meddwl yn glir pan ddywedais hynny. Fuon ni'n lwcus unwaith ond ella na fyddwn mor lwcus y tro nesa. Os byddan nhw'n dod i wybod pwy ydw i, fe fyddan nhw'n eich saethu chi. Rydach chi'n gwybod hynny?"

"Pwy sy'n mynd i ddweud wrthyn nhw?" atebodd Mutti. "Dydw i ddim, nac Elizabeth, na Karli chwaith. Fel y dywedais i, rydan ni'n deulu. Rwyt ti'n siarad Almaeneg da. Rwyt ti hyd yn oed yn edrych yn eithaf tebyg i Almaenwr yn nillad Yncl Manfred. Lwyddon ni i'w twyllo nhw unwaith, gydag ychydig o help gan Karli. Medrwn eu twyllo nhw eto."

"Ella eich bod chi'n iawn. Rydw i'n gobeithio eich bod chi. Ond – a doeddwn i ddim eisiau gorfod dweud hyn – rydw i'n meddwl fod problem arall. Yr eliffant, eich Marlene chi." Gwelwn fod Peter yn gyndyn o fynd ymlaen. "Gwrandewch, os awn ni â hi efo ni, rydan ni bownd o dynnu sylw atom ein hunain. Bydd yn beryclach. Rydw i'n meddwl y dylen ni ei gadael hi yma. Mae digon o wair yn y tŷ gwair, allen ni lenwi bwcedi efo dŵr . . ."

"Ble bynnag rydan ni'n mynd, mae Marlene yn mynd hefyd," meddai Mutti'n bendant. "Mae hi'n rhan o'r teulu hefyd. Beth sy'n cael ei ddeud yn y llyfr yna – *The Three Musketeers* oedd o, yntê? 'Pawb fel un ac un fel pawb'."

Rydw i'n cofio fod Mutti wedi gwneud i ni i gyd gydio yn nwylo'n gilydd o amgylch y bwrdd wedyn, am 'funud teulol' arall, fel roedden ni wedi gwneud mor aml 'nôl gartref. Gwyddai Karli hyd yn oed na ddylid torri ar draws y ddefod deulol hon. Efallai ei fod yntau'n gweddïo mor daer â minnau. Yn gweddïo y byddai Papi'n dod adref, y bydden ni'n cael hyd i'r Americanwyr, y bydden ni'n byw drwy hyn i gyd – ac y byddai Peter yn dal ati i gydio yn fy llaw mor dynn ag yr oedd o, a byth yn ei gollwng. Ond yn y diwedd, Karli, wrth gwrs, a benderfynodd fod y munud teuluol hwn wedi para'n hen ddigon hir. Torrodd ar draws y distawrwydd.

"Pryd ydan ni'n mynd?" gofynnodd. "Pa mor bell ydi o? Dwi eisio mynd ar gefn Marlene ar hyd y ffordd. Ga' i, Mutti? Faint o amser y bydd hi'n cymryd i ni gyrraedd yno?"

Drwy weddill y diwrnod hwnnw buom yn pendroni uwchben map Peter, yn cynllunio, yn gweithio allan pa mor bell y gobeithiwn deithio bob nos. Credai Peter y medren ni wneud rhwng wyth a deg kilometr y noson, yn ddibynnol ar y tywydd. Os llwydden ni i wneud hynny, a'r Americanwyr yn dal i ddod ymlaen ar yr un cyflymder ag yr oedden nhw, roedd yn amcangyfri fod gynnon ni obaith da o'u cyfarfod mewn rhyw bedair neu bum wythnos. Fe bacion ni'r holl fwyd y medren ni gael hyd iddo, y cyfan fedren ni ei gario, a gwisgo'r holl ddillad cynnes roedden ni eu hangen. Roedd sachau teithio pawb yn llawn a blanced wedi'i rowlio a'i glymu ar ben pob un. Cawsom ein pryd olaf o fwyd – gweddill y potes tatws a thipyn o gaws – a gadael nodyn wedi'i arwyddo gan bawb i Yncl Manfred ac Anti Lotti, yn diolch iddyn nhw, ac yn dweud i ble roedden ni'n mynd.

Yna camodd pawb allan i'r buarth dan olau'r lleuad i nôl Marlene o'r tŷ gwair, yr eira caled yn crensian o dan ein traed. Roedd yn rhaid denu Marlene draw oddi wrth ei gwair – a doedd hynny ddim yn hawdd – ond llwyddodd Karli i'w themtio gydag ychydig o datws. Yna, ar ôl iddi ddod allan, cododd Peter Karli i fyny ar ei chefn. I ffwrdd â ni i'r nos, tua'r gorllewin; Mutti yn tywys Marlene gerfydd ei chlust, Karli yn clician ac yn dweud ji-yp wrth Marlene. Cerddodd Peter a minnau efo'n gilydd ar y blaen, Peter efo'r cwmpawd yn ei law. Roedden ni wedi cychwyn ar ein taith."

Rhan Pedwar

Sain y Clychau

1.

Cymerodd Lizzie saib am ychydig funudau wedyn. Yna, cododd ei llaw. "Gwrandewch," meddai hi, yn syllu allan drwy'r ffenest. "Clychau! Glywch chi sain y clychau?" Doeddwn i ddim, ddim tan yr eiliad hwnnw. Aeth ymlaen i ddweud: "Rydw i'n hoffi clywed clychau eglwys yn canu. Bob tro rydw i'n clywed sain y clychau, mae'n gwneud i mi feddwl yr un peth, sef bod gobaith, fod bywyd yn mynd yn ei flaen. Wyddech chi eu bod nhw'n canu holl glychau eglwysi dinas Dresden ar ben-blwydd y diwrnod y daeth yr awyrennau bomio? Rydw i wedi bod yn ôl yno amryw o weithiau erbyn hyn. Nid yr hen ddinas ydi hi, wrth gwrs, ond mae'n wych gweld sut maen nhw wedi'i chodi eto, o'r lludw. Mae sŵn clychau'r ddinas newydd yn llawer uwch na hon, cofiwch. Ond mae hon yn ddymunol, yn gloch addfwyn iawn."

Trodd atom wedyn. "Mae'n ddrwg gen i fod mor hir yn

dweud fy stori. Mae'n tywyllu tu allan yn barod. Rydw i wedi bod yn paldaruo. Wn i hynny. Efallai mai chi oedd yn iawn drwy'r adeg, efallai y dylwn ddweud gweddill y stori wrthoch chi rywbryd eto. Rydach chi'n dda iawn eich bod wedi gwrando am gymaint o amser."

"Gwrando – cofiwch mai dyna beth mae ffrindiau i fod i'w wneud!" meddwn i.

"Ddaru chi ddianc?" gofynnodd Karl. "Gafodd Peter ei ddal? Beth ddigwyddodd? Dwi isio gwybod beth ddigwyddodd."

"Ydach chi'n gweld?" meddwn i gan wenu. "Dydan ni ddim yn mynd i unman nes byddwch chi'n dweud gweddill y stori wrthon ni. Rydan ni'n aros fan'ma, yn y fan a'r lle, yn tydyn, Karl?"

Rhoddodd Lizzie ei llaw ar f'un i. "Rydach chi'ch dau'n garedig iawn," meddai hi. "Wna i ddim eich cadw chi'n hir eto. Rydw i'n addo." Mwythodd wyneb gwydr y cwmpawd â blaenau'i bysedd. Syllodd arno am dipyn, ac yna aeth ymlaen â'i stori.

"Heb y cwmpawd yma, a heb Peter, dydw i ddim yn meddwl y bydden ni byth wedi llwyddo. Roedd o yn llygad ei le yn ein cadw ni draw o'r ffyrdd. Fe ddysgon ni nad yr oerfel na'r llwgu oedd y bygythiad mwyaf i ni ond pobl. Pobl a allai fod yn amheus ohonon ni, a fyddai'n holi a stilio, a fyddai'n achwyn amdanon ni. Doedd dim llawer o bobl allan yn y wlad. Petaen ni wedi ymuno â'r miloedd o bobl ar y ffyrdd gorlawn, byddai peryglon gwaeth fyth i'w hwynebu – yr awyrennau ymladd. Yn

ddiweddarach fe ddywedon nhw wrthon ni, y ffoaduriaid y daethom ar eu traws, sut y byddai'r awyrennau'n hedfan yn isel dros y ffyrdd, yn bomio, yn pledu.

Bu cynifer farw y ffordd honnno – milwyr a ffoaduriaid, ochr yn ochr.

Cadwodd Peter a'i gwmpawd ni draw o bopeth felly.

Ond rydw i'n sicr ein bod ni wedi llwyddo i fyw hefyd oherwydd ein bod ni wedi teithio gefn nos bob amser. Rydw i'n cofio fod Mutti byth a hefyd yn poeni ein bod yn symud yn rhy araf, fod y Rwsiaid yn cau i mewn tu cefn i ni. Roedd yn wir ein bod yn clywed sŵn rymblan pell eu gynnau. Gwelsom nhw'n goleuo awyr y nos ar hyd gorwel y dwyrain, fel petaen nhw'n dod yn nes drwy'r amser. Ar ôl teithio drwy'r nos, mae'n rhaid bod Mutti wedi ymlâdd fel yr oedden ni i gyd, ond roedd hi'n gyndyn o aros bob bore. Teimlai y gallem ddal ati am ychydig yn rhagor.

Diolch byth, erbyn golau cyntaf pob gwawr roedd Peter fel arfer wedi llwyddo i gael hyd i rywle i ni guddio am y dydd, rhywle lle gallem o leiaf fod yn sych ac yn gynnes, a hyd yn oed cynnau tân os oeddem yn lwcus. Rhyw sgubor unig, cwt bugail neu sièd coedwigwr – doedd dim gwahaniaeth. Roeddem yn cadw draw o drefi a phentrefi bob amser, yn teithio cymaint ag oedd yn bosib drwy'r dyffrynnoedd a'r coed lle roedd yn llai tebygol i ni gael ein gweld. Yn fuan iawn daeth yn amlwg nad ni oedd yr unig rai yn trampio drwy'r wlad ar y daith hir tua'r gorllewin, na'r unig rai a oedd wedi dewis osgoi peryglon y ffyrdd.

Felly, ambell ddiwrnod, p'run a oedden ni'n hoffi ai

peidio, roedd yn rhaid i ni rannu sgubor neu gwt gyda ffoaduriaid eraill – teuluoeodd fel ninnau fel arfer. Roedd milwyr efo ni hefyd unwaith neu ddwy – unedau cyfan ohonyn nhw. Roedd y cyfarfodydd hynny'n ddigon annifyr i ddechrau gan fod pawb yn amheus o'i gilydd y dyddiau hynny. Wyddech chi ddim pwy oedd neb. Cael Marlene efo ni oedd yn helpu i dorri'r iâ, i ddileu amheuaeth. Ar ôl gweld Marlene ac i Mutti ddweud ei hanes, a sôn am y sw a sut roedden ni wedi gofalu amdani yn yr ardd, yn fuan iawn byddai pobl yn dechrau dweud eu hanesion nhw, a sut roedden nhw wedi dianc rhag y bomio a'r storm dân. Gwyddai pob un

ohonom ein bod yn ffodus i fod yn fyw. Yn rhyfedd, o ystyried beth roeddem yn byw drwyddo, roedd mwy o chwerthin nag o grio'n aml, er i mi weld llawer o ffoaduriaid yn eistedd yno'n rhythu ar ddim byd, yn siglo'n ôl ac ymlaen ac yn sibrwd yn eu gofid.

Os oedd plant eraill yno, roedd Karli wrth ei fodd fwy fyth. Nid yn unig roedd cynulleidfa ganddo i wylio'i jyglo a'i holl driciau, ond roedd Marlene ganddo i ddangos ei hun hefyd. Roedd wedi ei dysgu hi rywfodd i benlinio a chodi'i thrwnc ar ei orchymyn, ac roedd y plant yn dotio at hyn. Roedd o bob amser yn hawlio mai fo a neb arall oedd biau Marlene. Soniai amdani fel 'fy eliffant' neu 'fy Marlene i'. Roedd wrth ei fodd yn actio, ac roedd yn dda am wneud hynny hefyd.

Heb unrhyw drafferth o gwbl, roedd yn actio bod yn frawd bach i Peter – yn bennaf, dwi'n meddwl, am ei fod wir yn hoffi cael brawd mawr, ffrind go iawn. Broliai wrth bawb mai fo oedd yr unig un a fedrai drin yr eliffant, na fedrai ei frawd hŷn wneud dim byd efo hi, na'i chwaer yn sicr, chwaith. Actiai ran clown yn wych, gan wneud i bobl chwerthin. Unwaith yr oedden ni wedi chwerthin efo'n gilydd am dipyn, dysgais fod pawb yn dechrau teimlo rhyw fath o gyfeillgarwch. Ffoaduriaid oedden ni i gyd, nid yn unig yn ffeirio storïau, ond bwyd a diod hefyd.

Ond, yn dilyn cyngor Mutti, cadwodd Peter draw oddi wrth bawb arall. Doedd o ddim yn siarad llawer pan oedd pobl eraill o gwmpas, a dyna oedd orau. Wrth ddod i'w adnabod yn well, roedd yn dod yn fwy amlwg i ni fod ganddo acen wahanol. Acen Canada neu acen y Swistir, doedd dim ots. Y peth pwysig oedd ei fod yn siarad yn ddigon gwahanol i bobl eraill sylwi ar hynny, ac os oedden ni'n sylwi, yna fe allen nhw hefyd.

Gofynnai pobl i Mutti yn aml pam nad oedd ei mab yn gwisgo lifrai'r fyddin fel y dynion ifanc eraill i gyd. Cadwodd hithau at y stori asthma roedd Karli wedi'i dweud y diwrnod hwnnw. Roedd yn stori dda oherwydd, wrth gwrs, roedd hi'n gwybod yn union beth oedd yr arwyddion i gyd. Roedden ni i gyd yn gwybod, heblaw am Peter ei hun. Ond ar awgrym Mutti, gwnaeth Karli'n berffaith siŵr fod Peter yn gwybod yn union sut beth oedd dioddef o asthma. Roedd o hyd yn oed wedi dysgu i Peter besychu a gwichian y ffordd iawn. Ond, er hynny, teimlwn yn nerfus bob tro roedd y pwnc yn codi. Roedd arna i ofn hefyd oherwydd ar ôl byw drwy arswyd bomio Dresden, roedd pawb roedden ni'n eu cyfarfod yn llawn dicter a chwerwder yn erbyn yr Americanwyr a'r Prydeinwyr. Cyn hyn, roedd llawer o'r casineb wedi'i anelu at y Rwsiaid. Ond nid erbyn hyn. Felly, petai rhywun yn sylweddoli pwy oedd Peter, byddai mewn gwir berygl. A ninnau hefyd.

O Dresden roedd y rhan fwyaf o'r ffoaduriaid eraill wedi dod hefyd, er bod rhai wedi dod mwy o gyfeiriad y dwyrain. Roedd eu hofn nhw o'r Rwsiaid yn waeth o lawer nag unrhyw gasineb at filwyr Prydain ac America. Wrth i'r Fyddin Goch fynd ymhellach ac ymhellach i ganol yr Almaen, roedd llawer o straeon am erchyllterau difrifol roedd y milwyr yn eu gwneud i bobl ddiniwed. Wyddwn i ddim bryd hynny, a wn i ddim hyd y dydd heddiw, beth oedd yn wir a beth oedd yn gelwydd, ond gwn fod ar lawer o'n cyd-ffoaduriaid ofn y Rwsiaid drwy waed eu calonnau. Y cyfan wn i fod llawer o erchyllterau mewn rhyfel bob amser. Clywsom hefyd fod y Fyddin Goch yn nes atom erbyn hyn nag yr oedden ni wedi meddwl – ychydig filltiroedd yn unig yr ochr draw i Dresden. Felly, er holl fomio'r Cynghreiriaid, roedd pawb yn meddwl fod yn well bod ar drugaredd milwyr Prydain ac America nag aros i'r Rwsiaid gyrraedd.

Pan oedden ni'n cuddio yng nghwmni ffoaduriaid eraill, byddai Peter yn diflannu i rywle ar ei ben ei hun, i osgoi cwestiynau treiddgar a chael ei lygadu'n amheus, meddai fo. Weithiau dywedai ei fod yn mynd i chwilota am fwyd, ond yn aml esgusodai ei hun drwy ddweud fod yn rhaid iddo ofalu am Marlene. Bob cyfle a gawn i, awn efo fo. Nid i helpu efo Marlene, wrth gwrs, ond oherwydd bod arnaf eisiau bod efo fo. Roedden eisiau bod efo'n gilydd hynny fedren ni, ac ar ein pennau ein hunain hefyd. Byddai'r ddau ohonom yn treulio oriau hir yn eistedd yno mewn rhyw sgubor neu gwt wrth ochr Marlene, a hithau'n cnoi gwair neu wellt – beth bynnag roeddem wedi cael hyd iddo, neu'n ei gwylio oddi ar lan rhyw afon, yn yfed ac yn trochi ei chorff i gyd.

Yn ystod yr amseroedd hyn gyda'n gilydd y dechreuodd Peter sôn am ei gartref yng Nghanada, yn Toronto, am y rhannau bu'n eu chwarae yn y theatr. Rhannau cerdded ar y llwyfan yn unig oedd y rhan fwyaf ohonynt: yn cario gwaywffon – yn was, yn blisman, yn fwtler. Byddai'n sôn am y caban ym mherfedd y goedwig – 'fy mwthyn i' fyddai'n ei alw – ble byddai o a'i fam a'i dad yn arfer mynd am benwythnosau drwy gydol ei blentyndod. Soniai amdanyn nhw'n reidio beic a chanŵio, yn pysgota i ddal eog, yr elciaid a'r eirth duon y bydden nhw'n eu gweld. Soniais innau wrtho am Papi, Yncl Manfred ac Anti Lotti, a'r amser braf ar y fferm, ac am y ddadl a oedd wedi hollti'r teulu.

Ond roeddem yn ymdrechu'n gorau glas i beidio â sôn am y rhyfel. Gwyddai'r ddau ohonom, wrth gwrs, mai dyna'r cysgod ofnadwy a oedd yn hongian uwch ein pennau ac yn bygwth ein gwahanu. Roedd y ddau ohonom eisiau anghofio am hynny am dipyn a byw yn heulwen gynnes rhannu atgofion a gobeithion. Roedden ni'n darganfod fod gynnon ni gymaint yn gyffredin – seiclo, hwylio a physgota. Unig blentyn oedd o, meddai. Ni fu'n rhan o deulu mawr erioed o'r blaen. Gwyddai mai dim ond chwarae rhan brawd mawr oedd o, ond roedd wrth ei fodd i fod yn un ohonom, meddai fo.

Sôn am siarad! Ond hyd yn oed pan oeddem yn ddistaw, teimlwn agosatrwydd nad oeddwn wedi'i deimlo efo neb arall erioed.

Yna – wel, mae'n debyg ei fod yn siŵr o ddigwydd rywdro – er syndod i ni, daeth Karli ar ein traws ryw ddiwrnod. Cofiaf ein bod yn eistedd ar lan afon, a Marlene yn chwifio'i thrwnc uwch ein pennau.

"Swsio ydach chi, yntê?" meddai, ei lygaid yn dawnsio o ddireidi. "Wn i eich bod chi! Bob amser yn diflannu i rywle efo'ch gilydd. Rydw i wedi bod yn eich gwylio chi!"

"Dim o dy fusnes di," meddwn yn gas. Roeddwn o 'ngho efo fo ac yn teimlo'n chwithig ac yn swil hefyd. Ond llwyddodd Peter i'w drin yn well o lawer. Rhoddodd Karli i eistedd i lawr rhyngon ni'n dau a rhoi ei fraich o'i amgylch.

"Dim ond siarad oedden ni, Karli, yn dod i adnabod ein gilydd. Rydw i'n frawd iddi hi, cofia. Yn frawd i tithau hefyd. Wyddost ti sut rwyt ti a fi'n siarad? Y peth ydi, os ydw i eisiau chwarae rhan yn iawn, mae'n rhaid i mi fynd o dan ei chroen yn iawn. Dyna pam yr egluraist bopeth am dy byliau asthma, wyt ti'n cofio? Mae'n rhaid i mi fod yn gwybod popeth sydd i'w wybod am fy nghymeriad, fy nheulu newydd a chefndir pawb yn y ddrama. Wyt ti'n deall beth ydw i'n ei ddweud? Mae'n rhaid i actorion wneud hynny. Wyt ti'n deall, Karli? Allai pobl fy holi i am Papi, er enghraifft, gofyn ble roedden ni'n byw yn Dresden, holi am y sw, y fferm, Yncl Manfred ac Anti Lotti. Mae'n rhaid i mi fod yn gwybod am bod dim. Iawn? Mae Elizabeth yn dweud popeth a fedr hi wrtha i i'm helpu."

Roedd Karli i'w weld yn ddigon hapus gyda hynny, ond llawer tro wedi hynny, teimlwn ei fod yn cadw llygad arnon ni ac roedd hynny'n fy mhoeni. Yn sicr, doeddwn i ddim eisiau i Mutti gael unrhyw syniad am fy ngwir deimladau tuag at Peter. Nid oherwydd beth allai hi ei feddwl am hynny, ond oherwydd ei fod yn breifat, yn bersonol iawn, ac roeddwn eisiau i bethau aros felly.

Er i ni wneud i'r bwyd ddaethom efo ni o'r fferm barhau cyhyd â phosib, cyn bo hir doedd dim ar ôl. Wedyn, ein problem fwyaf oedd cael hyd i rywbeth i'w fwyta. Doedd dim problem gan Marlene. Dim ond iddi hi sgubo'r eira o'r neilltu gyda'i throed neu ei thrwnc, llwyddai i ddod o hyd i rywbeth bwytadwy oddi tano. Unwaith roedd yr eira wedi mynd, porai wrth gerdded, ei thrwnc yn chwilota o'i blaen. Gan ein bod yn cadw at y dyffrynnoedd y rhan fwyaf o'r amser, roedd digon o ddŵr i ni i'w yfed o'r afonydd. Yn aml, roedd Peter yn cael hyd i dŷ gwair i ni guddio ynddo a gallai Marlene fwyta llond ei bol yno drwy'r dydd.

Ond roedd yn fwy anodd o lawer i ni gael hyd i fwyd. Unwaith yn rhagor, Peter ddaeth i'r adwy. Yn y llu awyr roedd wedi dysgu byw oddi ar y tir – roedd yn rhaid iddyn nhw i gyd wneud hynny rhag i awyren gael ei saethu i'r llawr. Ond hefyd, yn ffodus i ni, yn ei gartref yng Nghanada roedd wedi arfer chwilota, pysgota a hela am fwyd. Roedd wedi hen arfer gwneud hyn ar hyd ei oes ond, fel yr oedd o 'i hun yn 'i ddweud, hyd yn hyn doedd chwilio am fwyd erioed wedi cynnwys lladrata.

Yn gynnar bob bore byddem yn aros ble bynnag roeddem am gysgodi drwy'r dydd, yn gwneud ein hunain a Marlene mor gysurus â phosib. Yna yn hwyr neu'n hwyrach byddai Peter yn diflannu. Byddai'n ôl mewn rhyw awr neu ddwy efo rhywbeth: wyau o gwt ieir, efallai, neu sosej, wedi'i 'rhyddhau' fel y byddai o'n 'i ddweud, o bantri rhywun. Weithiau byddai ganddo foron, hyd yn oed afalau unwaith neu ddwy. Roedd llawer o gartrefi a ffermydd wedi'u gadael yn wag gan fod pobl, fel Yncl Manfred ac Anti Lotti, wedi troi eu cefn ar eu tai ac wedi ffoi.

Byddai'n chwilota am bethau eraill hefyd. Unwaith daeth yn ôl gyda gwialen bysgota, ac wedi hynny roedd pysgodyn i frecwast yn eithaf aml. Ond roedd adegau pan fyddai'n dod yn ôl gyda dim ond rhyw lond dwrn o gnau ac ychydig o lysiau wedi hanner pydru. Amryw o weithiau daeth yn ôl yn waglaw. Bryd hynny doedd dim amdani ond llwgu. Heb fwyd tu mewn i ni, dyna'r

dyddiau roedd hi anoddaf i ni gadw'n hunain yn gynnes, hyd yn oed os oeddem yn llwyddo i gynnau tân.

Dyna'r adegau gwaethaf yn ystod ein taith hir – y dyddiau pan oeddem ar lwgu. Dois i arfer gyda'r teithio diddiwedd, fy nhraed wedi fferru a'r swigod poenus arnyn nhw, fy nwylo a'm clustiau fel talpiau o rew. Aeth yr eira i ffwrdd, ond doedd yr oerfel byth yn mynd. Weithiau, pan deimlwn na fedrwn fynd ymlaen yr un cam arall, byddai braich Mutti amdanaf a'i llais yn dweud yr un peth bob amser, "Dal ati, Elizabeth. Dim ond i ti ddal ati i roi un droed o flaen y llall ac fe gyrhaeddwn ni yno." Dyna ei mantra cyson. Pan oeddwn ar fin diffygio, byddwn yn dweud hynny wrthyf fy hun, yn gwneud fy ngorau glas i'w gredu. Dro ar ôl tro, bu bron i mi anobeithio.

Ond wrth edrych yn ôl, Marlene, lawn cymaint â mantra Mutti, wnaeth i mi ddal ati. Drwy'r gwynt a'r glaw, y llaid a'r rhew, daliodd Marlene ati i bydru ymlaen. Hi oedd yn gosod y cyflymder i ni, a ninnau'n cadw efo hi. Pan oeddwn i'n cerdded rhywle'n agos ati, clywn y rhochian gwag, bodlon o'i thu mewn. Am ryw reswm, gwnâi hynny i mi wenu gan godi 'nghalon bob amser. Roedden ni i gyd yn eiddigeddus o'i gallu i ddod o hyd i fwyd wrth symud – yn snwffian drwy ddail crin gan bori'r ychydig laswellt oedd yno. Roedd ei hamynedd diddiwedd a'i dyfalbarhad yn gysur mawr i ni. Erbyn hyn roedd hi'n annwyl iawn efo ni i gyd, Peter hefyd, fel petaen ni'n deulu iddi. Yn sicr roedden ni'n teimlo ei bod hi'n rhan ohonon ni. Byddai byth a hefyd yn ein cyffwrdd ni â blaen meddal ei thrwnc, yn ein cysuro ni, yn tawelu ein meddyliau, efallai. Os Peter oedd ein harweinydd a'n cyflenwr, a Mutti oedd ein hasgwrn cefn, ein cryfder; yna Marlene oedd ein hysbrydoliaeth.

Weithiau, wedi oriau maith o gerdded drwy dywyllwch y wlad, pan oedden ni i gyd yn llwglyd, yn oer ac yn flinedig, a'r nos fel petai'n ddiddiwedd, byddai Mutti yn dechrau canu a ninnau'n ymuno â hi. Byddem yn canu caneuon ei hoff Marlene Dietrich, carolau Nadolig, neu'r hwiangerddi a'r caneuon gwerin roedd Karli a minnau'n eu canu pan oedden ni'n fach. Roedd Peter wedi dysgu rhai o'r rhain gan ei fam o'r Swistir, felly byddai yntau'n canu efo ni. Wrth gwrs, byddai Karli'n canu'n uwch na neb, yn arwain pawb o'i safle oddi fry, ar gefn Marlene. Wrth ganu ein ffordd fel hyn drwy'r nos, teimlwn fy holl ofnau'n hedfan i ffwrdd. Yn sydyn teimlwn yn benysgafn, ac yn llawn gobaith. Gobaith y byddai popeth yn iawn. Does gen i ddim syniad pam roedd canu gyda'n gilydd nid yn unig yn gymorth i amser fynd heibio ond yn codi fy nghalon hefyd, yn adnewyddu fy nerth ac yn rhoi hwb a phenderfyniad newydd i mi ddal ati. Teimlai pawb yr un fath, dwi'n meddwl.

Mae'n debyg i ni fod yn teithio ar draws yr Almaen am ryw dair wythnos, yn symud yn llawer arafach nag yr oedd Peter wedi disgwyl. Y nentydd a'r afonydd a oedd yn ein gorfodi i arafu. Doedd y nentydd yn ddim problem – roedd Marlene yn ddigon bodlon i fynd yn ôl ac ymlaen gan gario dau ohonom ar y tro. Ond i groesi'r afonydd roedd yn rhaid dod o hyd i bont, a honno'n bont nad oedd yn cael ei gwarchod fel cynifer ohonynt. Felly bob tro roeddem yn dod at bont, roedd yn rhaid i Peter sleifio ymlaen i weld a oedd yno filwyr. Golygai hynny fod yn rhaid i ni deithio'n bell ar hyd glan yr afon i gael hyd i bont ddiogel a'r daith hirach yn gwneud i ni golli amser.

Roedden ni'n gwybod fod pawb a oedd yn ein gweld, neu'n cyfarfod â ni, yn berygl, ond doedd dim posib eu hosgoi bob amser, waeth faint oedden ni'n ymdrechu i wneud hynny. Hyd yn oed liw nos roeddem yn cyfarfod â phobl, rhai'n cerdded yn ôl i'w pentrefi ar ôl iddi dywyllu, neu bugeiliaid weithiau allan yn eu caeau yn cadw llygad ar eu defaid. Unwaith rydw i'n cofio dod ar draws ffermwr yn sydyn. Roedd un o'i wartheg yn methu dod â llo tu ôl i wrych ac roedd o angen help. Aeth Peter i lawr ar ei liniau ar unwaith a rhoi help llaw iddo dynnu'r llo. Bu'r ddau wrthi am dipyn go lew, ond daeth y llo allan yn fyw ac yn iach. Roedd y ffermwr wrth ei fodd gan ysgwyd llaw efo pawb. Thalodd o ddim sylw i Marlene nes yr oedd popeth drosodd. Dywedodd Mutti ein hanes wrtho, ac roedd i'w weld yn ddigon hapus efo hynny. Cawsom aros dros nos yn ei sgubor a daeth ei wraig â photes poeth i ni gan ddod â rhagor o'r teulu yno i weld Marlene heb holi cwestiynau o gwbl. Yn hytrach na thynnu sylw aton ni, fel yr oedd Peter wedi ofni, roedd pobl yn holi am Marlene, a neb yn sylwi ar Peter yn arbennig, sef yn union beth roedden ni eisiau.

Wrth guddio yn ystod y dydd, yn swatio tu mewn i ryw gwt neu sgubor, roeddem wedi clywed ac weithiau wedi gweld awyrennau ymladd yn hedfan yn isel

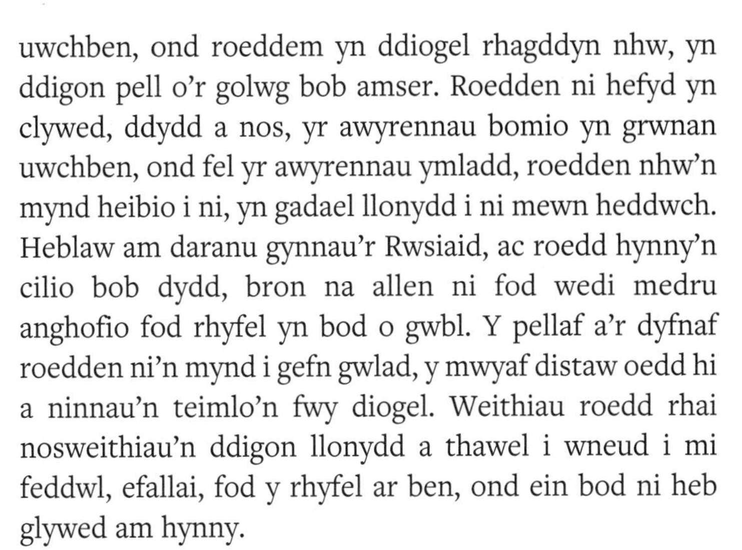

uwchben, ond roeddem yn ddiogel rhagddyn nhw, yn ddigon pell o'r golwg bob amser. Roedden ni hefyd yn clywed, ddydd a nos, yr awyrennau bomio yn grwnan uwchben, ond fel yr awyrennau ymladd, roedden nhw'n mynd heibio i ni, yn gadael llonydd i ni mewn heddwch. Heblaw am daranu gynnau'r Rwsiaid, ac roedd hynny'n cilio bob dydd, bron na allen ni fod wedi medru anghofio fod rhyfel yn bod o gwbl. Y pellaf a'r dyfnaf roedden ni'n mynd i gefn gwlad, y mwyaf distaw oedd hi a ninnau'n teimlo'n fwy diogel. Weithiau roedd rhai nosweithiau'n ddigon llonydd a thawel i wneud i mi feddwl, efallai, fod y rhyfel ar ben, ond ein bod ni heb glywed am hynny.

Cofiaf i Karli fynd yn sâl yn eithaf sydyn.

Ni fu erioed yn blentyn cryf gan fod yr asthma yn ei wneud yn wan. Dechreuodd un noson gyda rhyw beswch bychan a oedd yn gwrthod ei adael. Lapiodd Mutti o mewn blancedi, ac am y rhan fwyaf o'r noson honno teithiodd ar gefn Marlene fel arfer. Ond roedd yn amlwg cyn bo hir nad oedd ganddo'r nerth i aros i fyny yno, y gallai syrthio unrhyw funud. Yn groes iawn i'w ewyllys, perswadiodd Mutti o i ddod i lawr. Cariodd o yn ei breichiau weddill y ffordd.

Aeth Peter a minnau ar y blaen, yn chwilio ar frys erbyn hyn am le i gysgodi – gwnâi unrhyw le y tro, dim ond i ni gael Karli allan o'r oerfel. Doedd dim golau yn y tai, wrth gwrs, oherwydd y blacowt. Ond roedd hi'n noson olau leuad. Dyna sut y cefais i gip ar siâp mawr tywyll adeilad yn y pellter, ac yna ruban o ffordd gyda choed o boptu iddi yn mynd tuag ato drwy'r caeau.

Roedd pesychu a gwichian Karli'n gwaethygu drwy'r adeg. Roedd o angen mwy na dim ond cysgod dros y nos, roedd o angen doctor. Doedd gynnon ni ddim dewis. Gwyddem ein bod yn mentro, ond fe gerddon ni i fyny'r ffordd raean a churo'n uchel ar y drws ffrynt enfawr. Bu'n dipyn o amser nes y daeth rhywun, a Peter yn dechrau meddwl fod y tŷ wedi'i adael fel cynifer o rai eraill. Ond yna agorwyd y drws. Gwelsom olau lantarn. Yn cydio ynddi roedd hen ŵr mewn pyjamas a chap nos.

Doedd o ddim yn edrych yn gyfeillgar o gwbl.

2.

"Mae'n berfedd nos," chwyrnodd yr hen ŵr. "Be ydach chi eisio?"

"Os gwelwch chi'n dda. Rydan ni angen doctor," meddai Mutti wrtho. "Fy mab. Mae fy mab yn wael iawn. Os gwelwch yn dda."

Yna, o'r tŷ daeth llais arall. Llais dynes. "Pwy sydd yna, Hans? Rhagor ohonyn nhw? Gad iddyn nhw ddod i mewn."

Agorwyd y drws yn lletach. Gwelsom wraig mewn côt nos yn dod i lawr grisiau llydan, anferth ac yn brysio tuag atom ar draws y cyntedd.

"Maen nhw'n dweud eu bod angen doctor, Iarlles," meddai'r hen ŵr. Roedd y ddau yn ein llygadu nawr, o du cefn i olau'r lamp.

"Rydan ni wedi dod o Dresden," meddai Mutti wrthynt.

"Dychmygu pethau ydw i?" gofynnodd y wraig. "Ai eliffant ydi hwnna?"

"Eglura i ynghylch hynny yn nes ymlaen," atebodd Mutti. "Ond mae fy mab yn wael, yn ddifrifol wael, ac mae'n rhaid i mi gael hyd i ddoctor. Os gwelwch yn dda. Ar frys."

Ni phetrusodd y wraig o gwbl. Cydiodd ym mraich Mutti a'i harwain i'r cyntedd. "Dowch i mewn, dowch i mewn," meddai hi. "Mi anfonaf am feddyg o'r pentref y munud yma. Hans, dos â'r anifail yna i'r stablau."

Doedd gen i ddim syniad pwy allai'r bobl yma fod, a doedd dim ots gen i chwaith. Yn fuan byddem yn cael doctor ar gyfer Karli, ac roeddem wedi dod o hyd i gysgod iddo hefyd. Dyna'r unig beth oedd yn bwysig. Byddai'n gynnes hefyd. Gallwn hyd yn oed arogli bwyd.

Ond ches i ddim mynd i mewn ar f'union. Gofynnodd Mutti i mi ofalu am Marlene, i wneud yn siŵr fod ganddi rywbeth i'w fwyta ac yfed. Felly dilynais Hans, yr hen ŵr yn y cap nos, yn swnian yn flin dan ei wynt wrtho'i hun drwy'r adeg, i gefn y tŷ, dan fwa mawr, at stablau. Gofalais fod ganddi ddigon o wair a dŵr, a'i gadael yno. Edrychai'n ddigon bodlon, yn hapusach o dipyn na'r ceffylau yn y stablau gyferbyn â hi a oedd yn aflonyddu mwy bob munud wrth weld y tresmaswr rhyfedd.

Wrth i ni gerdded yn ôl tua'r tŷ – edrychai'r lle anferth yn debycach i gastell nag i dŷ i mi – roedd Hans yn dal i rwgnach, yn fwy wrthyf fi nag wrtho'i hun. Cwyno na fedrai byth gael noson dda o gwsg bellach. Achwyn ei bod yn ddigon drwg fod yr iarlles wedi agor ei drws i'r byd a'r betws. Tuchan ei bod hi rŵan yn troi'r stablau yn sw. Roedd y cyfan yn ormod, meddai fo. Yn ormod o lawer.

Wrth iddo fynd â fi'n ôl i'r tŷ ac i fyny'r grisiau urddasol gwelais drosof fy hun pam roedd o'n cwyno. Roedd pobman, pob centimetr o'r llawr, yn llawn dop. Gorweddai pobl ym mhob twll a chornel – ar bob landin, pob coridor ac, roeddwn i'n tybio, ym mhob ystafell. Eisteddai'r rhai nad oedd yn cysgu ar sachau llawn gwellt, yn edrych yn syn arnaf wrth i mi fynd heibio a golwg ffwndrus iawn arnyn nhw. Aeth Hans â fi i dop y tŷ, i'r atig. Gwelais Karli'n gorwedd ar fatres o flaen tân gyda Mutti yn penlinio drosto'n gwlychu ei dalcen. Roedd Peter yn brysur yn pentyrru rhagor o goed ar y tân.

"Mae ganddo wres uchel, Elizabeth," meddai Mutti, yn edrych i fyny arna i, ei llygaid yn llawn dagrau.

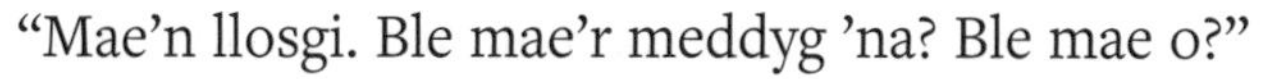

"Mae'n llosgi. Ble mae'r meddyg 'na? Ble mae o?"

Am weddill y noson honno, gorweddodd Karli yno yn troi a throsi, weithiau'n ffwndrus, a'r tri ohonom yn ein tro yn ceisio ei oeri. Chysgodd 'run ohonom, dim ond eistedd yno'n ei wylio, yn gobeithio y byddai'r dwymyn yn ei adael, yn dyheu am i'r meddyg ddod. Pan ddaeth o'r diwedd, daeth y wraig gydag o, wedi'i gwisgo braidd yn grand erbyn hyn, mewn du i gyd. Archwiliodd y meddyg Karli, a dweud y dylid ei gadw'n gynnes ar bob cyfri. Mwyaf yn y byd o ddŵr y gallem ei gael i yfed, gorau yn y byd, meddai fo. Rhoddodd ffisig i ni ar ei gyfer a dweud wrthym na ddylai ar unrhyw gyfri fynd allan i'r oerfel, na theithio, nes y byddai'n berffaith iawn unwaith eto.

Ar ôl iddo fynd cyflwynodd y wraig mewn du ei hun i ni. "Iarlles mae pawb yn fy ngalw i," meddai, yn ysgwyd llaw pob un ohonom yn ffurfiol braidd. "Dydyn ni ddim yn trafferthu llawer gydag enwau fan'ma – mae'n fwy diogel felly. Rydw i'n meddwl fod yma ryw saith deg o ffoaduriaid yn y tŷ rŵan – pob math ohonynt, teuluoedd o'r dwyrain yn bennaf, yn gorffwyso am ychydig ddyddiau. Mae pawb ar daith fel petai'r byd i gyd yn dianc. Mae yma filwyr ar eu ffordd adref am seibiant, neu'n dychwelyd at eu catrawd ar faes y gad, rhai wedi dianc, mae'n sicr, ac mae yma rai crwydriaid hefyd. Dydw i byth yn gofyn cwestiynau. Unwaith y dydd yn unig rydan ni'n cael pryd poeth – ganol dydd. Yna cawl a bara gyda'r nos. Dydi o ddim yn llawer, ond dyna'r cyfan fedrwn ni ei gynnig, mae arna i ofn. Fel y gwyddoch, mae bwyd wedi mynd yn brin iawn ym mhobman erbyn hyn. Gewch chi aros cyhyd ag y mynnwch, yn sicr nes bydd yr hogyn ifanc yn well, ond fyddwn i ddim yn eich cynghori chi i aros lawer hwy na hynny. Dydi'r Rwsiaid ddim mor bell erbyn hyn. Ychydig o wythnosau, efallai. Dim rhagor. Mae'r Americanwyr yn nes, medden nhw, ond pwy a ŵyr pwy fydd yn cyrraedd yma gyntaf?"

Diolchodd Mutti o waelod calon iddi am ei charedigrwydd tuag atom.

"Er i mi ddweud na fydda i byth yn holi," aeth yr iarlles ymlaen gan wenu, "mae'n rhaid i mi gyfaddef 'mod i'n rhyfeddu braidd at yr eliffant."

Gwrandawodd yr iarlles yn astud ar Mutti yn dweud ei hanes yn gweithio yn y sw, am Papi i ffwrdd yn ymladd yn Rwsia, ac amdanom yn dianc gyda Marlene o Dresden.

Yna, meddai hi, "Roedd gen innau hefyd ŵr yn y fyddin unwaith, ond mae o wedi marw erbyn hyn. Mae gen innau fab ac mae yntau'n ymladd y Rwsiaid yn y dwyrain. Efallai eu bod yn adnabod ei gilydd. Wyddoch chi ddim." Craffodd ar Peter. "Mae fy mab tua'r un oed â chi, dwi'n meddwl," meddai hi. "Mae ganddo yntau lygaid brown, yn ddwfn yn ei ben fel chithau. Fy nymuniad pennaf ydi cael ei weld yn fyw ac yn iach unwaith eto. Fedrwn ni wneud dim byd ond gobeithio."

Fe arhoson ni efo'r iarlles am rai dyddiau. Bu Karli dri neu bedwar diwrnod yn dod ato'i hun. Rhoddodd Peter y cwmpawd iddo ofalu amdano, a gwnaeth hynny Karli'n hapus iawn. Arferai fynd i gysgu â'i ddwrn wedi cau amdano. Cofiaf iddo ddweud wrth Peter unwaith ei fod yn well nag unrhyw dedi bêr. Dywedodd wedyn, ar ôl iddo wella, ei fod yn siŵr mai cwmpawd Peter, nid ffisig y doctor, oedd wedi'i wella.

Doedd Mutti ddim eisiau mentro cychwyn allan ar ein taith drachefn nes yr oedd hi'n berffaith siŵr fod Karli'n ddigon cryf.

Y drwg oedd ein bod yn mynd yn fwy cartrefol yno bob dydd. Roedd yn anodd gadael y cysur. Roedd mor braf eistedd i lawr gyda'r ffoaduriaid eraill yn yr ystafell fwyta fawr i gael bwyd da, poeth. Yr iarlles oedd yn gyfrifol am greu awyrgylch o gyfeillgarwch braf, yn croesawu pawb ac roedd hi'n hael hefyd, ac yn feddylgar. Pan ddywedodd Karli wrthi un diwrnod ei fod o'n hoffi jyglo, rhoddodd ddwy bêl dennis iddo – os oedd o'n hapus, byddai'n ei helpu i wella, meddai hi.

Yn union fel yr oedd yr iarlles wedi dweud wrthym, roedd pob math o bobl yno, yn mynd ac yn dod, ac roedd gan bawb stori i'w dweud – ac fel y digwyddodd pethau, cân i'w chanu hefyd. Cyrhaeddodd rhyw ugain o blant ysgol yno rhyw ddiwrnod neu ddau ar ein holau ni. Daethom i'w hadnabod nhw'n well na neb ac, wrth gwrs, roedd hynny oherwydd Marlene, a Karli hefyd. Unwaith y dywedodd Karli wrthyn nhw – ac yn naturiol, ni wastraffodd amser o gwbl cyn gwneud hyn – fod gynnon ni eliffant yn byw yn yr ardd gartref, ein bod wedi dod â hi efo ni a'i bod yn byw yn y stablau y munud yma, fedren ni ddim eu cadw draw.

Gan fod Karli'n cryfhau bob dydd rŵan, roedd yn amhosib ei gadw tu mewn yn hir. Ceisiodd Mutti ei orfodi i aros ar ei fatres yn yr atig, ond roedd ar goll byth

a hefyd. Roedden ni'n gwybod yn iawn ble i gael hyd iddo, wrth gwrs: gyda Marlene, a chynulleidfa fawr o edmygwyr o'u cwmpas. Roedd y plant wedi rhyfeddu'n llwyr at yr eliffant, ac wrth eu bodd yn gwylio Karli'n gwneud ei driciau jyglo hefyd. Ond beth oedden nhw'n ei hoffi'n well na dim oedd gweld Karli'n jyglo i fyny'n uchel yno ar wddw Marlene! Yn gwbl anfwriadol, dyna sut y rhoddodd Karli ni i gyd mewn perygl mawr iawn.

Un pnawn, aeth Peter a Mutti a minnau at y stablau i chwilio am Karli a oedd wedi diflannu unwaith yn rhagor. Gwelsom o'n eistedd i fyny fry ar wddw Marlene, yn jyglo'n braf. Roedd criw mawr o'i amgylch: Hans, gwas yr iarlles, rhyw bedwar deg, neu efallai hanner cant o'n cyd-ffoaduriaid, a'r plant ysgol, a Karli'n dangos ei hun fwy nag arfer hyd yn oed. Wrth jyglo, roedd yn dweud wrth bawb fel yr oedd o wedi marchogaeth Marlene yr holl ffordd o Dresden. Wn i ddim hyd heddiw beth ar wyneb y ddaear wnaeth iddo stopio jyglo'n sydyn, gwthio ei law i'w boced a dal y cwmpawd i fyny. "Wyddoch chi beth ydi hwn?" gofynnodd yn falch. "Cwmpawd hud fy mrawd mawr Peter ydi o. Mae Peter yn dilyn y saeth a ninnau'n dilyn Peter. Dyna sut daethom ni yma. Hawdd."

"Jygla efo fo!" galwodd un o'r plant. "Fetia i na fedri di ddim jyglo tri pheth!" Yna roedden nhw i gyd yn gweiddi arno, yn ei herio i wneud. "Ty'd 'laen, Karli! Ty'd 'laen!"

Gwaeddais arno i beidio â gwneud, ond gwyddwn yn iawn na fedrai byth wrthsefyll y demtasiwn i ddangos ei hun fwy fyth. Gwthiais fy ffordd drwy'r dyrfa i geisio'i rwystro, ond roeddwn yn rhy hwyr. Erbyn i mi gyrraedd ato roedd o eisoes yn jyglo gyda'r ddwy bêl a'r cwmpawd.

Am dipyn edrychai popeth yn iawn. Roedd o'n jyglo'n ardderchog. Roeddwn i wedi'i weld yn jyglo cymaint â phedair pêl lawer gwaith cyn hyn. Pur anaml y byddai'n gollwng un. Ond roedd yr holl halibalŵ roedd y dyrfa'n ei wneud wedi cynhyrfu dipyn ar Marlene. Ysgydwodd ei chlustiau, siglodd o'r naill ochr i'r llall – arwydd sicr ei bod hi'n aflonyddu. Yna cododd ei thrwnc a symud yn sydyn gan wneud i Karli lithro. Gwelais y cwmpawd yn hedfan yn uchel i'r awyr. Rhuthrais ymlaen i geisio'i ddal. Rydw i'n meddwl fy mod yn gwybod nad oedd gen i ddim gobaith, ei fod ymhell o'm cyrraedd, nad oedd posib i mi lwyddo. Baglais a syrthio'n drwm.

Pan edrychais i fyny, gwelais fod Hans wedi dal y cwmpawd yng nghwpan ei ddwylo. Roeddwn mor falch nad oedd wedi torri. Gwaeddai'r plant i gyd gan guro dwylo. Roeddwn wedi sylwi cyn hyn na fyddai Hans byth yn gwenu. Doedd o ddim yn gwenu rŵan chwaith, er yr holl gymeradwyaeth. Roedd yn troi a throsi'r cwmpawd yn ei ddwylo, yn ei archwilio'n ofalus. Ffliciodd o ar agor, ac yna edrychodd i fyny ar Karli.

"Ble cest ti hwn?" gofynnodd yn awdurdodol. "Nid un o'r Almaen ydi o. Mae'n edrych fel petai'n dod o Brydain neu America. O am *Ost* fyddai ar un o'r Almaen, ond *E* sydd ar hwn. *Ost* yn Saesneg ydi *East*. Mae ysgrifen Saesneg arno hefyd. Ble cest ti o?"

Syrthiodd distawrwydd sydyn dros y buarth. Am

unwaith, doedd gan Karli ddim i'w ddweud. Cyfarfu ei lygaid fy rhai i, yn crefu am help. Ond fedrwn innau ddim meddwl beth i'w ddweud chwaith.

"Ofynnais i ti o ble cest ti o?" meddai Hans wedyn.

"Gen i." Daeth llais Mutti o'r tu cefn i mi. Roedd Peter efo hi wrth iddi ddod drwy'r dyrfa tuag ataf. Rhoddodd ei braich am f'ysgwydd. "Fy ngŵr roddodd o i mi. Anrheg. Mae o'n ymladd y Rwsiaid rŵan, ond ar ddechrau'r rhyfel roedd o yn Ffrainc, yn Normandi. Wedi'i gael gan beilot o Brydain a oedd wedi'i saethu i'r llawr, meddai fo. Fi biau o rŵan," meddai hi. Roeddwn yn ei hedmygu hi'n fawr iawn y munud hwnnw. Gwyddwn ei bod hi'n ddewr, ond doedd gen i ddim syniad y gallai fod mor ddyfeisgar â hyn.

Petrusodd Hans am amser hir. Gwelwn ei fod yn llawn amheuon, nad oedd yn siŵr o hyd ei fod yn ei chredu hi.

"Diolch i chi," aeth Mutti yn ei blaen, "am ei ddal. Be ydw i'n 'i feddwl ydi . . . y byddai'n gas gen ei weld wedi malu'n deilchion ar y llawr. Dyna'r anrheg olaf ges i gan fy ngŵr. Mae wedi dod â ni'r holl ffordd o Dresden, wyddoch chi. Felly, am lawer o resymau, fedrwch chi weld ei fod yn werthfawr iawn i mi, i ni i gyd fel teulu. Diolch i chi."

Edrychai Hans yn fwy bodlon erbyn hyn. Meddyliodd am dipyn, yna nodiodd ei ben yn araf cyn ei drosglwyddo iddi o'r diwedd. "Nid tegan ydi o," meddai. "Dydw i ddim yn meddwl y dylai plant bach fod yn chwarae efo peth o'r fath."

"Rydw i'n cytuno'n llwyr," atebodd Mutti, yn codi'i

hysgwyddau ac yn gwenu. "Ond wyddoch chi sut mae plant. Peidiwch chi â phoeni, ofala i na fydd yn gwneud hynna eto, rydw i'n addo i chi."

Edrychodd i fyny ar Karli. Doedd dim rhaid iddi smalio bod yn flin efo fo. Gwyddai Karli hynny. Edrychai fel petai ganddo gywilydd mawr.

"Karli, ty'd i lawr oddi ar yr eliffant y munud yma, a ty'd efo fi."

Aeth Peter i'w helpu i ddod i lawr, ac unwaith roedden ni wedi gofalu fod Marlene yn ôl yn ddiogel yn ei stabl, fe gerddon ni i gyd oddi yno. Ond gallwn deimlo fod llygaid Hans wedi'u hoelio arnon ni drwy'r adeg.

Ar ôl swper y noson honno, cododd yr iarlles ar ei thraed a churo'i dwylo i gael sylw pawb. "Dydi llawer ohonoch chi ddim yn gwybod," meddai, "fod y plant

sydd yma efo ni o gôr capel yn Dresden. Rydw i wedi gofyn iddyn nhw ganu rhywbeth i ni. Cerddoriaeth ydi'r unig beth ddaw ag ychydig o lawenydd a thawelwch meddwl i ni ar amser mor ddychrynllyd â hyn. Fe ganon nhw 'Oratorio'r Nadolig' gan Johann Sebastian Bach y Nadolig diwethaf, medden nhw wrthyf. Dyna gyfansoddwr gorau'r Almaen gen i. Maen nhw'n garedig iawn wedi cytuno i ganu rhan ohoni i ni rŵan."

Wrth iddyn nhw ganu, sylweddolais fy mod yn gallu ymgolli'r llwyr yn y miwsig, fy mod yn medru anghofio'r holl bethau ofnadwy a oedd yn digwydd yn y byd. Teimlwn fel petai'r miwsig nefolaidd yn lapio amdanaf, yn cynhesu mêr fy esgyrn, yn oedi'n hir wedi i'r canu dewi. Y noson honno ar ôl cyrraedd yn ôl i fyny'r grisiau i'n hystafell yn yr atig, clywn o drachefn yn fy mhen wrth swatio o dan y blancedi. Roedd pawb wedi ymateb yn debyg i'r miwsig, dwi'n meddwl. Fedren ni sôn am ddim arall. Roedd Mutti hyd yn oed wedi peidio â bod yn ddig efo Karli ynghylch y cwmpawd.

"Hen dro nad oedd Papi yma efo ni," meddai hi. "Bach oedd ei hoff gyfansoddwr. Byddai wedi'i fwynhau'n fawr."

Roedden ni ar fin syrthio i gysgu pan agorodd y drws a dawnsiodd golau lantarn i mewn i'r ystafell. Yr iarlles oedd yno. Plygodd i lawr i siarad yn ddistaw efo ni.

"Mae arna i ofn y bydd yna helynt," meddai hi. "Mae Hans yn ddyn da ac mae o wedi bod efo mi am dros ddeugain mlynedd. Roedd o'n ymladd yn y rhyfel diwethaf. Mae'n Almaenwr i'r carn, fel finnau. Ond mae'n teyrngarwch ni'n dau yn wahanol, a'n syniadau ni hefyd. Rydw i wedi deall ei fod am fynd at yr heddlu ynghylch y cwmpawd. Dywedodd bopeth am yr hyn ddigwyddodd wrthyf i. Ceisiais i ei berswadio i beidio â mynd, ond mynnodd mai dyna'i ddyletswydd fel Almaenwr da. Mae arna i ofn nad ydi o wedi llyncu'ch stori am y cwmpawd. Na finnau chwaith, mae arna i ofn. Ond mae gen i reswm arall i'ch amau. Eich mab." Edrychai'n syth ar Peter rŵan. "Eich acen chi – mae wedi bod yn fy mhoeni ers tro. Rydach chi'n swnio fel Americanwr pan fyddwch chi'n siarad. Mae gen i berthnasau yn America, a phan fyddan nhw'n siarad Almaeneg maen nhw'n swnio'n union fel chi. Byddai fy nai o America wedi bod tua'r un oed â chi. Mae mor drist, mor eironig, mor hurt. Mab fy chwaer i oedd o, hanner Americanwr, hanner Almaenwr. Ymunodd â byddin America, ac mae'n gorwedd yn farw yn Normandi rŵan, wedi'i ladd gan fwled Almaenig."

Trodd at Mutti. "Mae rhywbeth arall nad ydw'n ei gredu'n hollol ynghylch y mab yma sy gynnoch chi. Rydw i'n clywed ei fod yn dioddef o asthma ac mai dyna pam y cafodd ei esgusodi rhag gwasanaeth milwrol. Ond rydw i wedi bod yn ei wylio, a welais i 'run arwydd o asthma o gwbl. A dweud y gwir, mae'n edrych yn iach fel cneuen i mi. Mae Hans yn meddwl y gallai fod yn un o beilotiaid y gelyn, peilot bomio, a dwi'n meddwl y gallai fod yn iawn. Os ydi o a chithau'n cael eich dal, yna rydan ni i gyd yn gwybod beth fydd yn digwydd, nid iddo fo'n unig, ond i chi hefyd. Pawb ohonoch chi. Fynnwn i ddim i hynny ddigwydd."

Ceisiodd Mutti dorri ar draws, ond wnâi'r iarlles

ddim gadael iddi. "Dwi'n meddwl mai'r peth gorau fyddai i chi fynd oddi yma, a hynny ar unwaith. Mae gynnoch chi resymau am wneud yr hyn rydach chi'n ei wneud a dwi'n siŵr eu bod yn rhesymau da. Ond dydw i ddim eisiau gwybod beth ydyn nhw. Lleia yn y byd dwi'n ei wybod, gorau yn y byd. Mae'ch bachgen bach chi'n edrych yn ddigon da i deithio erbyn hyn. Unwaith y bydd Hans wedi rhybuddio'r heddlu, fyddan nhw fawr o dro cyn dod yma. Mae hynny'n sicr. Felly dwi'n meddwl y dylech chi fynd heno, rŵan, cyn iddi fod yn rhy hwyr. Fe fyddaf, wrth gwrs, yn dweud wrth yr heddlu fy mod yn siŵr nad oes sail o gwbl i amheuon Hans. Ond pan fyddwch chi'n mynd, os nad oes ots gynnoch chi, fe hoffwn i chi wneud rhywbeth i mi – rhywbeth pwysig iawn. Rydw i eisio i chi fynd â'r plant yna efo chi, y côr. Does ganddyn nhw neb i edrych ar eu holau bellach. Cafodd eu côr-feistr ei ladd ac amryw o'r plant hefyd, ar eu ffordd yma. Rydw i eisio i chi adael iddyn nhw deithio efo chi, ac edrych ar eu holau. Wnewch chi hynny? Wn i ei fod yn llawer i'w ofyn. Ond dwi wedi gweld cymaint o feddwl sydd ganddyn nhw o'ch eliffant chi. Fe fyddan nhw'n fodlon mynd efo chi. Fe ân nhw ble bynnag yr aiff hi. Fedra i mo'u cadw nhw yma am byth. Hoffwn i wneud hynny, ond does gen i ddim digon o le. Fel y gwelwch chi, mae'r lle'n orlawn fel mae hi, a rhagor yn cyrraedd bob dydd. Gewch chi ddigon o fwyd gen i iddyn nhw ac i chithau i fynd efo chi."

Siaradodd yn Saesneg rŵan, wrth Peter, yn edrych i fyw ei lygaid. "Dweud y gwir rŵan, ŵr ifanc. Ydw i'n iawn? Americanwr wyt ti . . . fel dwi'n 'i feddwl?"

"Canadiad," atebodd Peter. "RAF."

"Roeddwn yn ddigon agos, felly," meddai hi, yn Almaeneg unwaith eto. "Bydd y rhyfel yma'n dod i ben yn fuan iawn. Dwi'n meddwl fod yr Americanwyr yn sicr o fod yn agos rŵan. Bydd popeth drosodd ond, yn drist iawn, yn rhy hwyr i'm gŵr. A gan fy mod yn gwybod eich hanes chi, gewch chi wybod fy hanes i. Rai misoedd yn ôl roedd fy ngŵr yn rhan o gynllwyn i lofruddio Hitler. Roedd fy ngŵr yn Almaenwr da, yn swyddog a gredai i ni gael ein harwain ar hyd y ffordd anghywir, ffordd ddychrynllyd i mewn i'r rhyfel hwn. Y cyfan roedd arno'i eisio oedd iddo ddod i ben. Yr unig ffordd i wneud hynny, yn ei farn o, oedd lladd Hitler. Felly dyna'r hyn geisiodd o a'i ffrindiau ei wneud: rhoi terfyn ar y dioddefaint. Methu wnaethon nhw, a bu farw dros yr hyn roedd yn ei gredu. Rydw innau'n credu yn yr hyn roedd o'n ei gredu, fod yn rhaid i'r dioddefaint ddod i ben. Dyna pam rydw i'n gwneud beth rydw i'n ei wneud rŵan. Dyna pam y bydd eich cyfrinach chi yn gyfrinach i mi. Felly casglwch eich pethau at ei gilydd a dowch i lawr y grisiau, ond brysiwch. Rydw i eisoes wedi cael y plant at ei gilydd, ac wedi rhoi digon o fwyd am ychydig ddyddiau i bob un. Dyna'r cyfan fedra i ei sbario. Brysiwch. Pellaf yn y byd y byddwch chi wedi mynd oddi yma cyn y wawr, gorau yn y byd."

Gadawodd ni wedyn, cyn i Mutti na'r un ohonom fedru dweud yr un gair o ddiolch.

Ar ôl gwisgo amdanom a chasglu ein pethau at ei gilydd, aethon ni i lawr y grisiau. Arhosai'r plant i gyd yn y cyntedd, a'r iarlles hefyd. Roedden ni wrthi'n ffarwelio pan agorodd y drws ffrynt a daeth Hans i mewn. Doedd o ddim ar ei ben ei hun. Roedd swyddog o'r fyddin efo fo, ac amryw o filwyr, eu gynnau wedi'u hanelu'n syth aton ni.

3.

Saliwtiodd y swyddog. "Iarlles, maddeuwch yr ymyrraeth yma, os gwelwch yn dda, ond rydw i wedi dod–"

"Uwchgapten Klug," meddai'r iarlles, yn mynd tuag ato ac yn cynnig ei llaw. "Mae'n dda gen i'ch gweld chi yma unwaith yn rhagor. Wn i pam rydach chi wedi dod. Rydw i'n meddwl efallai y dylen ni gael sgwrs breifat, ydach chi'n cytuno? Ond i ddechrau, efallai . . . eich milwyr chi, eu gynnau, maen nhw'n codi ofn ar y plant."

Petrusodd yr uwchgapten. Edrychai fel petai'n methu penderfynu sut i ddelio â'r sefyllfa am funud. Ond daeth ato'i hun yn ddigon cyflym. "Wrth gwrs, Iarlles, os mynnwch chi." Gorchmynnodd y milwyr i ostwng eu harfau, dywedodd wrthon ni i gyd am aros yn union lle roedden ni, yna dilynodd yr iarlles i'w stydi.

Wn i ddim am faint y safon ni yno yn y cyntedd yn

aros, ond teimlai fel petai'n para oes. Ddywedodd neb 'run gair. Cydiwn yn llaw Peter drwy'r adeg, yn gwybod mai efallai dyma'n munudau olaf efo'n gilydd. Edrychai Karli i fyny ar Mutti o hyd, ei lygaid yn llawn dagrau. Ond ni sylwodd Mutti. Fel pawb ohonom, ymdrechai i wrando, i geisio gwneud rhyw synnwyr o'r murmur lleisiau a oedd i'w glywed yr ochr arall i'r drws hwnnw.

Pan agorodd y drws o'r diwedd daeth yr uwchgapten allan ar ei ben ei hun. Heb hyd yn oed edrych arnom, heb ddweud 'run gair o'i ben, brasgamodd yn gyflym ar draws y cyntedd tua'r drws ffrynt. Arhosodd am funud i Hans ddryslyd yr olwg ei agor iddo ac yna aeth allan, a'i filwyr yn ei ddilyn. Daeth yr iarlles allan funudau'n ddiweddarach, gyda gwydryn yn ei llaw. Anadlai yn eithaf trwm. "Mae arna i ofn 'mod i wedi gorfod cael diferyn bach," meddai, "i atal fy hun rhag crynu." Gwenodd arnon ni wedyn. "Peidiwch ag edrych mor bryderus. A dweud y gwir, rydw i'n meddwl fod hynna wedi mynd yn eithaf da, yn well nag y medrwn i fod wedi gobeithio hyd yn oed. Ein lwc ni oedd mai'r Uwchgapten Klug ddaeth yma. Roedd o yn yr un gatrawd â'm gŵr, a'r ddau yn adnabod ei gilydd yn eithaf da. Beth bynnag, mae popeth yn iawn bellach. Mae'r Uwchgapten, yn yr ystyr rydyn ni angen iddo fod, beth bynnag, yn ddyn anrhydeddus. Bydd yn cadw'i air. Mae'n ddiogel i chi fynd."

"Be ydach chi'n ei feddwl?" gofynnodd Mutti iddi. "Beth ddywedodd o? Beth ddwedsoch chi wrtho?"

"Bygwth a bod yn glên," atebodd yr Iarlles. "Wyddoch chi beth ydw i'n ei feddwl? Pan fyddwch chi angen perswadio rhywun i wneud rhywbeth nad ydyn nhw eisio'i wneud, mae angen gwgu a gwenu. Bygwth wnes i i ddechrau . . . ei atgoffa fod yr Americanwyr, efallai, fawr mwy na ryw wythnos neu bythefnos i ffwrdd. Petai rhywbeth yn digwydd i unrhyw un ohonoch chi, dywedais y bydden nhw'n cael gwybod mai'r Uwchgapten Klug a oedd yn gyfrifol, ac y byddwn i'n bersonol yn gwneud yn berffaith siŵr y byddai'n cael ei saethu. Yna, bod yn glên . . . byddaf bob amser yn cadw rhywfaint o arian parod wrth law, dim llawer, ond digon, ac roedd yn help. Yna, i fod yn berffaith siŵr, darllenais iddo ychydig eiriau o lythyr olaf fy ngŵr o'r carchar cyn iddyn nhw ei ddienyddio – roedd gan yr Uwchgapten Klug barch mawr i'm gŵr. Ysgrifennodd fy ngŵr – ac rydw i'n cofio pob gair –

Mae'n gysur i mi i wybod fod yn rhaid i'r Almaen newydd godi o ludw'r erchylltra hwn, ac y byddi di, a'n ffrindiau a'n teulu yn rhan ohono. Cofia bob amser fy hoff eiriau gan Goethe: 'Beth bynnag fedrwch ei wneud, dechreuwch arno. Mae athrylith, grym a hud mewn bod yn ddewr. Dechreuwch yn awr.' Felly, cychwynna'r Almaen newydd, fy nghariad, helpa hi i dyfu. Mi wn i y gwnei di. Rwyf yn drist na fyddaf yna i'w gweld, ond byddaf bob amser gyda ti yn yr ysbryd.

Roedd hyn fel petai'n mynd at galon yr Uwchgapten Klug, yn union fel roeddwn i wedi gobeithio."

Pan ddaeth yr amser i adael yn hwyrach y noson honno, cusanodd yr iarlles Karli a dweud wrtho am gofio bod yn hogyn da. Yna fe gerddon ni draw o'r tŷ. Erbyn i mi droi i edrych yn ôl roedd hi wedi mynd i mewn. Yn dilyn tu cefn i ni oedd y côr plant, fesul dau, sach ar bob cefn, a chyn ddistawed â ninnau, Mutti, yn cerdded efo nhw. Aeth Peter o'n blaenau, yn arwain y ffordd fel arfer. Roeddwn i'n tywys Marlene a Karli i fyny ar ei chefn, pawb ohonom yn gwybod ein bod yn fyw oherwydd y wraig fonheddig arbennig, ryfeddol honno.

Roedd yn galed i adael cynhesrwydd a chysur y tŷ, ac i fod allan yno drachefn, yn cerdded drwy oerni'r nos. Cymerodd dipyn o amser i mi gynefino â'r anghysur, a'r blinder. Mewn ffordd mae'n rhaid bod y plant wedi helpu. Roedden nhw'n tynnu sylw, mae'n debyg. Doedd gen i fawr o amser erbyn hyn i feddwl amdanaf fy hun. Roedd teithio'n arafach efo nhw, wrth gwrs.

Ond fe lwyddon ni rywfodd i ddal ymlaen. Y rhan fwyaf o'r amser Mutti a minnau oedd yn gwneud ein gorau i ofalu am y plant, yn rhannu'r bwyd roddodd yr iarlles i ni'n ofalus, yn eu cadw'n siriol, yn eu cefnogi ac yn eu cysuro drwy'u blinder, eu hofn a'u gofid. Ond rydw i'n sicr mai Marlene achubodd nhw oherwydd roedd Marlene yn gwneud iddyn nhw chwerthin. Roedden nhw wrth eu bodd yn ei gwylio'n tasgu drwy nentydd ac yn rhoi bwyd yn ei cheg. Fel Karli hefyd roedden nhw'n chwerthin yn braf pryd bynnag roedden nhw'n ei chlywed yn . . . sut y medra i ddweud hyn yn gwrtais? . . . yn gollwng gwynt . . . ac roedd hynny'n aml, ac yn ddrewllyd iawn hefyd!

Tyfodd Karli i fyny'n gyflym yn ystod y dyddiau a'r nosweithiau caled hynny. Doedd dim rhagor o ddangos

ei hun. Rydw i'n meddwl fod y digwyddiad efo'r cwmpawd, y trychineb roedd o bron iawn wedi'i achosi y diwrnod hwnnw, wedi'i sobri, ei wneud yn fwy ymwybodol o bobl eraill. Er enghraifft, syniad Karli oedd i blant y côr yn eu tro eistedd gydag o ar gefn Marlene. Roedd yn syniad ardderchog, yn rhoi rhywbeth iddyn nhw i gyd edrych ymlaen ato, ac roedd hynny mor bwysig. Roedd yn codi eu calonnau nhw, a ninnau hefyd, erbyn meddwl, oherwydd roedd gweld y plant yn mwynhau eu hunain yn ein gwneud ninnau'n fwy siriol.

Cyn bo hir, wrth gwrs, gorffennodd ein stôr o fwyd. Ar ôl hynny, roedd fel porthi'r pum mil i Peter, heblaw nad oedd o'n medru gwneud gwyrthiau. Roedd yn rhaid rhannu hynny o fwyd a lwyddai o i ddod yn ôl o'i deithiau chwilota o gwmpas y wlad, o'i chwilota o amgylch ffermydd rhyngon ni i gyd, ac yn rhy aml, ychydig iawn oedd yna i'w rannu. Dywedodd wrthyf ei fod yn gorfod mentro mwy a mwy er mwyn dwyn bwyd i ni, ac mai cŵn oedd ei elyn pennaf. Unwaith, hyd yn oed, saethwyd ato o ffenest llofft. Roedd o wedi torri i mewn i ryw ffermdy unig, ac yn gafael yn beth bynnag a fedrai o'r gegin, pan ymosododd ci'r ffermwr arno, yn udo ac yn cyfarth fel rhywbeth gwyllt. Bu'n rhaid iddo ollwng popeth a rhedeg. Yn ffodus, doedd y ffermwr ddim wedi anelu'n syth, ond llwyddodd y ci i suddo'i ddannedd i ffêr Peter. Bu'r briw yn boenus iawn am ddyddiau wedyn.

A'r eira wedi mynd erbyn hyn, roedd arwyddion y gwanwyn o'n cwmpas ym mhobman: y coed yn blaguro, blodau yma ac acw ar y caeau a'r perthi a'r adar yn canu. Ond roedd yn bwrw glaw, liw nos yn aml. Ymlaen ac ymlaen â ni, drwy gaeau a choedwigoedd, yn croesi afonydd pan oedd raid i ni, yn dilyn Peter, yn dilyn ei gwmpawd. Ond o'r wythnosau olaf hynny o'n taith hir i'r nos, nid y blinder ydw i'n ei gofio fwyaf, na'r oerni a'r gwlybaniaeth, na'r boen o fod ar ein cythlwng drwy'r amser ac roedden ni'n byw gydag o'n wastadol. Beth rydw i'n ei gofio orau oedd y plant yn canu. Mae'n debyg i hynny gychwyn fel un o syniadau Mutti i'w cadw'n ddiddig. Ar ôl iddyn nhw ddechrau canu, doedden nhw ddim fel petaen nhw eisiau tewi. Roedden nhw'n canu wrth gerdded ymlaen, yn ysgafnhau'r tywyllwch i ni. Roedden nhw'n canu wedi'u gwasgu'n bentwr mewn lloches rhyw fugail neu mewn cwt coedwigwr, yn swatio'n glòs at ei gilydd i gadw'n gynnes. Yn hwyr neu'n hwyrach fydden ninnau'n ymuno i ganu efo nhw ac roedden ni wrth ein bodd yn gwneud hynny, yn falch o fod yn rhan o'u cerddoriaeth. Roedden ni'n cael gwared o'n hofnau drwy ganu ac yn ei wneud efo'n gilydd.

Mae'n rhaid ein bod yn edrych yn rhyfedd iawn i'r rhai oedd yn cael cip arnom: Peter a minnau efo'n gilydd ar y blaen, eliffant tu cefn i ni efo dau neu dri o blant ar ei gefn, ac yn eu dilyn nhw, Mutti a'i mintai o blant yn canu. Roedd Karli'n ffrindiau mawr efo'r plant eraill erbyn hyn. Yn aml iawn byddai'n dod i lawr oddi ar gefn Marlene ac yn cerdded gyda nhw, yn canu efo nhw. Doedd o ddim eisiau cael ei adael allan, dwi'n meddwl. Roedd o eisiau teimlo ei fod yn un ohonyn nhw. Ni fyddai'n wir i ddweud fod yr holl ganu yma'n golygu ein bod yn gallu anghofio pob anghysur yn llwyr, ein chwant bwyd difrifol, ein pryderon, ond yn sicr iawn fe'n helpodd ni i roi'r naill droed o flaen y llall.

Wrth i'r dyddiau a'r nosweithiau fynd heibio, roedd rhywbeth arall yn codi'n calonnau ac yn rhoi gobaith newydd i ni. Erbyn hyn doedden ni ddim yn clywed sŵn gynnau tu cefn i ni. O'n blaenau oedden nhw bellach, yn goleuo gorwel y gorllewin bob nos – gynnau mawr yr Americanwyr, meddai Peter. Rhoddodd hyn sbonc go iawn yn ein camau, ond ar yr un pryd gwyddai pawb nad oedd 'run gwn yn wn cyfeillgar, hyd yn oed os oedd yn dod o America. Roeddem mewn perygl mawr o hyd.

Yn amlach na pheidio bellach, roeddem yn gorfod rhannu pa gysgod bynnag oedd ar gael efo ffoaduriaid eraill, ac yn aml iawn efo dwsinau o filwyr yr Almaen oedd ar ffo hefyd, ac yn gwneud i ni deimlo ar bigau'r drain. Ond doedd dim rhaid i ni boeni. Roedden nhw i gyd wedi ymlâdd gormod, yn rhy druenus i ofyn cwestiynau, pob un yn hoffi gwneud ffys fawr o Marlene a rhoi tendans iddi. Roedd y milwyr hyd yn oed yn fodlon rhannu hynny o fwyd oedd ganddyn nhw efo ni. Mae'n wir hefyd fod rhywun wedi dwyn ein bwyd tra oedden ni'n cysgu unwaith neu ddwy. Ond yna byddai'n deg dweud, mae'n debyg, fod Peter wedi'i ddwyn yn y lle cyntaf.

Roedd Peter yn boblogaidd iawn efo pawb oherwydd pryd bynnag yr oedd yn dod yn ôl o un o'i deithiau chwilota llwyddiannus, byddai'n rhannu popeth gyda phawb arall. Daeth pob milwr a welsom â'i stori ei hun fel pawb arall, a phob stori yn dweud 'run peth: fod yr Americanwyr yn agos iawn erbyn hyn. Eu bod yn dod yn nes bob dydd – y gallai eu byddinoedd fod dafliad carreg i ffwrdd yr ochr draw i'r bryn agosaf.

Ond synnwyd pawb 'run fath pan ddaethom ar draws yr Americanwyr cyntaf. Roeddem yn hwyr yn dod o hyd i le i gysgodi y bore hwnnw, ond doedd Peter ddim yn rhy bryderus gan fod niwl trwchus o'n cwmpas ym mhobman, yn ein cuddio'n dda. Ond, wrth gwrs, roedd hynny'n ei gwneud yn fwy anodd i ddod o hyd i sgubor neu gwt i aros ynddo drwy'r dydd.

Rydw i'n cofio cerdded i fyny ochr bryn, a niwl y bore wedi teneuo erbyn hynny ac yn debycach i blu. Roedd y plant i gyd yn canu wrth gerdded a Karli efo nhw. Roeddwn i'n tywys Marlene gerfydd ei chlust, yn sgwrsio efo hi fel yr oeddwn yn gwneud yn aml, pan stopiodd yn sydyn a chodi'i phen. O'n blaen roedd Peter

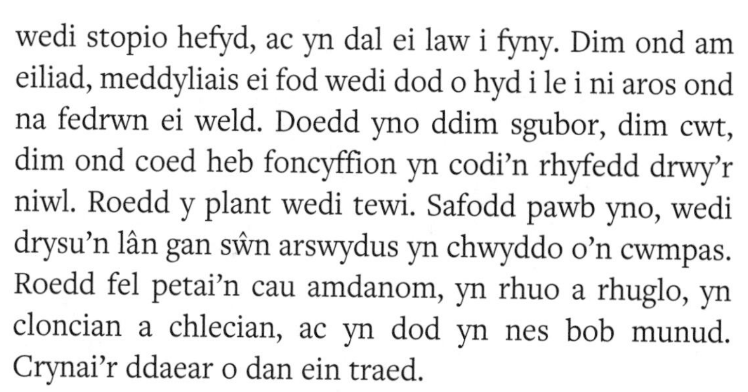

wedi stopio hefyd, ac yn dal ei law i fyny. Dim ond am eiliad, meddyliais ei fod wedi dod o hyd i le i ni aros ond na fedrwn ei weld. Doedd yno ddim sgubor, dim cwt, dim ond coed heb foncyffion yn codi'n rhyfedd drwy'r niwl. Roedd y plant wedi tewi. Safodd pawb yno, wedi drysu'n lân gan sŵn arswydus yn chwyddo o'n cwmpas. Roedd fel petai'n cau amdanom, yn rhuo a rhuglo, yn cloncian a chlecian, ac yn dod yn nes bob munud. Crynai'r ddaear o dan ein traed.

A dyma nhw'n dod allan o'r niwl. Tanciau! Ugain neu ddeg ar hugain ohonyn nhw . . . yn dod . . . ac yn dod . . . "Americanwyr!" gwaeddodd Peter. "Americanwyr ydyn nhw!" . . . Dechreuodd redeg tuag atyn nhw gan chwifio'n wyllt. Dyna pryd y dychrynodd Marlene. Tynnodd yn rhydd o'm gafael a ffoi. Es ar ei hôl hi, yn galw ac yn galw arni i ddod yn ôl. Ond rhusiodd ymlaen, yn trwmpedu'n llawn ofn, ei chlustiau'n clepian a'i thrwnc yn dyrnu. Diflannodd i ganol y niwl.

Erbyn i'r tanc cyntaf ein cyrraedd roedden nhw i gyd wedi siglo i stop. Daeth pen milwr allan o'r tŵr. Tynnodd ei glustffonau oddi ar ei ben a rhythu arnom yn hurt. Anghofia i byth y geiriau cyntaf a ddywedodd.

"Gras a nerth! Be ddiawl oedd hwnna? Eliffant?"

"Ie," atebodd Peter. "A dyna falch o'ch gweld chi ydan ni."

"Americanwr wyt ti?" gofynnodd y milwr.

"Canadiad," atebodd Peter. "RAF. Swyddog Awyr Peter Kamm. Cyfeiriwr. Wedi fy saethu i'r llawr uwchben Dresden rai wythnosau'n ôl."

"Rwyt ti wedi cerdded yr holl ffordd o Dresden?"

gofynnodd y milwr, yn dal i fethu coelio'i glustiau. "Efo eliffant a'r holl blant yna?"

"Do," meddai Peter.

"Gras a nerth!" meddai'r milwr wedyn. "Wel myn uffern i!"

"Mae'n rhaid i ni gael hyd i'r eliffant yna," meddai Peter wrtho. "Mae'n rhaid i ni fynd ar ei hôl hi. Mae hi wedi bod efo ni ar hyd y ffordd."

"Paid â phoeni," sicrhaodd y milwr ni'n llawen. "Gawn ni hyd iddi i ti. Ddwedwn i na fedr eliffant ddim mynd yn bell heb i rywun ei weld. Ond mae'n rhaid i chi, bobl, fynd o'r lle yma. Mae 'na ryfel, 'chi."

Ceisiodd Mutti ddadlau, i adael iddi hi fynd ar ôl

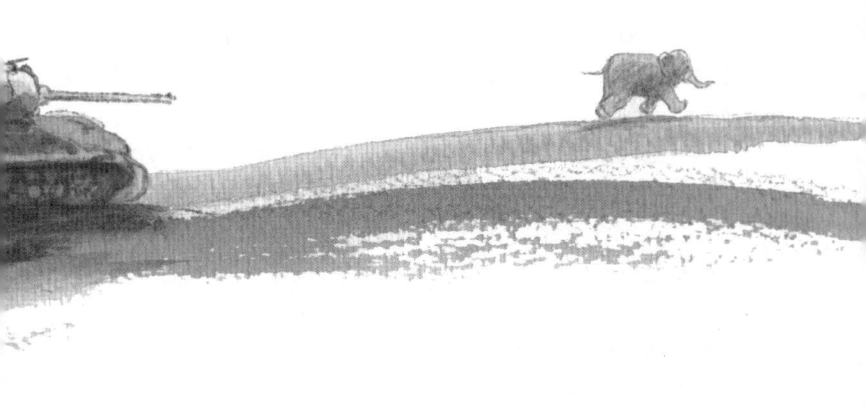

Marlene. Crefodd Karli a minnau hefyd. Dywedodd Mutti dro ar ôl tro y byddai Marlene yn rhedeg a rhedeg, ymlaen ac ymlaen, y byddai wedi gwallgofi, na fyddai neb ond un ohonon ni'n gallu ei dal. Ni oedd yr unig rai roedd hi'n eu hadnabod. Doedd hi'n ymddiried yn neb ond ni. Ond wnâi'r milwr ddim gwrando.

Arweiniwyd ni i gyd oddi yno, yn protestio o hyd, gan osgordd o filwyr. Doedd dim cysuro ar Mutti. Rydw i'n meddwl ei bod yn gwybod na welai hi fyth Marlene wedyn. Felly ar awr ein buddugoliaeth fwyaf, roeddem wedi colli Marlene. Am ddyddiau, wythnosau, buom yn chwilio ac yn chwilio amdani, yn holi amdani'n ddi-baid.

Ond doedd neb wedi'i gweld. Roedd yn union fel petai hi wedi diflannu oddi ar wyneb y ddaear."

Wedi cyrraedd y rhan hon o'r stori, tawodd Lizzie. Edrychodd arnom fel petai'n dweud: Dyna ni. Dyna'r diwedd.

"A? A? Beth ddigwyddodd?" Roedd Karl yn gofyn yr union gwestiwn a oedd yn fy meddwl i. "Beth ddigwyddodd ar ôl hynny? I Marlene? I chi i gyd? Gawsoch chi hyd iddi yn y diwedd? A Papi? Ddaeth Papi adref?

"Beth ddigwyddodd wedyn?" atebodd Lizzie. "O, digwyddodd digon. Oes gyfan o ddigwyddiadau. Ond dwi'n meddwl y bydda i'n cadw'r cyfan yn fyr ac i bwrpas. Rydw i braidd yn flinedig yn sydyn. Ac mae'n rhaid eich bod chithau hefyd. Wel, dyma sut mae'r stori'n gorffen . . ."

"Ymhen diwrnod neu ddau ar ôl cyfarfod yr Americanwyr, dyna lle roedden ni – Mutti, Karli a fi a phlant y côr i gyd – mewn gwersyll, math o wersyll ffoaduriaid, ar gyfer pobl ddigartref. Dyna oedden nhw'n ein galw ni. Gwnaeth Peter ei orau glas i'w rhwystro rhag mynd â ni i ffwrdd. Dywedodd wrthyn nhw sut roedd Mutti wedi'i helpu i ddianc. Dywedodd y stori i gyd wrthyn nhw. Ond rheolau oedd rheolau, medden nhw, a dyna ddiwedd ar hynny. Roedd Almaenwyr digartref i gyd yn cael eu rhoi efo'i gilydd mewn gwersylloedd.

Cyn i ni gael ein rhoi ar lorri'r fyddin a'n gyrru oddi

yno, gawson ni ychydig funudau i ffarwelio ag o. Dyna pryd y gwasgodd o'r cwmpawd yma i'm llaw, a dweud wrthon ni ei fod yn addo y byddai'n dal ati i chwilio am Marlene. Roedd Mutti yno, a Karli. Ond pan ddaeth fy nhro i i ffarwelio, fedrwn i ddim atal fy hun rhag cydio'n dynn ynddo a beichio crio. Sibrydodd yn fy nghlust y byddai'n ysgrifennu, y byddai'n dod yn ôl i chwilio amdanaf. Y tro olaf i mi ei weld fel yr oeddem yn cael ein gyrru oddi yno, safai yno yn y glaw, yn gwisgo'i lifrai unwaith eto erbyn hyn, yn codi'i law arnom. Roeddwn i'n meddwl y byddai fy nghalon yn torri.

Buom yn byw yn y gwersyll hwnnw am chwe mis neu fwy. Pan fydda i'n meddwl amdano rŵan, doedd o ddim mor ddrwg, am wn i. Doedd dim preifatrwydd, dim o gwbl. Dyna oedd y peth gwaethaf. Roedd yn gas gen i fyw tu cefn i wifren bigog, yn methu mynd i ble roeddwn i eisiau, yn methu gwneud yr hyn roeddwn eisiau. Roedd y cytiau'n orlawn, ond roedden nhw'n gynnes ac yn sych yn y nos. Roedd colli'r rhyfel yn ergyd drom i lawer o'r milwyr a'r ffoaduriaid, ond roedd diwedd y rhyfel a marwolaeth Hitler yn rhyddhad mawr i'n teulu ni. Dysgodd pawb fod bywyd yn mynd yn ei flaen.

Ymysg y miloedd o garcharorion yno roedd llawer o gerddorion, actorion a beirdd, yn cynhyrchu dramâu, yn cynnal cyngherddau a hynny'n torri ar draws undonedd caethiwed. Am awr neu ddwy roeddem yn gallu anghofio popeth. Y cyngerdd gorau i mi, heb fymryn o amheuaeth o gwbl, oedd pan roddodd y côr plant berfformiad i bawb – caneuon gwerin roedden nhw wedi'u canu efo ni yn ystod y nosweithiau hirion hynny o gerdded drwy'r tywyllwch. Roedden nhw'n cofio mai hoff gân ein teulu ni oedd, 'Wrth gerdded drwy'r goedwig werdd', a minnau'n berffaith sicr eu bod yn ei chanu'n arbennig i ni.

Penderfynodd Mutti cyn bo hir fod angen ysgol yn y gwersyll ar gyfer y plant i gyd, gan gynnwys plant y côr, ac roedd hi angen fy help i, meddai hi, i ofalu am *die Kleine*, y rhai bach. Cadwodd hynny ni'n dwy yn brysur, gan wneud i ni deimlo fod rhywun ein hangen ni hefyd. Roedd hynny mor bwysig. Ond y peth pwysicaf i mi, o bell ffordd, oedd y llythyrau a gefais gan Peter. Roeddwn bob amser yn ateb ar f'union, yr un diwrnod, ac yn eu hanfon i ryw gyfeiriad yn Llundain. Roedd ei lythyrau bob amser yn cynnwys newyddion da, yn llawn cynlluniau. Unwaith y byddai'n cael gwyliau a phethau wedi dod i drefn, meddai fo, byddai'n dod i'm nôl. Byddem yn priodi ac yn byw efo'n gilydd yng Nghanada. Yn mynd i ganŵio ac i bysgota. Roedd yn dyheu am ddangos i mi'r eogiaid a'r eirth duon a phopeth yn yr ardaloedd gwyllt roedd wedi sôn cymaint amdanynt.

Pan gawsom ein rhyddhau o'r gwersyll o'r diwedd, roedd yn rhaid i ni ffarwelio â phlant y côr. Roedd y gwahanu'n ddagreuol iawn. Roedden nhw bellach bron yn rhan o'n teulu ni. Gadawodd yr awdurdodau i ni fynd am fod gynnon ni gyfeiriad i fynd iddi. Aeth Mutti â ni i fyw efo cyfnither iddi yn Heidelberg. Roedd gynnon ni un ystafell yn edrych allan ar yr afon, lle roeddem yn medru gweld yr haul yn machlud dros y dref. Renate oedd cyfnither hynaf Mutti, athrawes a oedd braidd yn gul a sidêt. Gwnaeth ei gorau i fod yn garedig efo ni, i fod yn oddefgar, ond roedd hi wedi arfer byw ar ei phen ei hun, ac weithiau, dwi'n meddwl, yn ei chael yn anodd i beidio â bod yn biwis efo ni.

Er ein bod rŵan yn rhydd a bywyd yn dechrau dod yn ôl i ryw fath o normalrwydd, dyma'r adeg waethaf un i mi gan fod llythyrau Peter wedi peidio â dod. Roeddwn wedi anfon ein cyfeiriad newydd ato, ond ysgrifennodd o ddim wedyn. Roedd Mutti hefyd yn anhapus, yn mynd at yr awdurdodau bob dydd i holi am newyddion ynghylch Papi. Doedd 'na ddim. Roedd y ddau ddyn oedden ni'n ei garu wedi diflannu. Rydw i'n sicr mai dyna pam y daeth Mutti a finnau'n nes at ein gilydd na fuon ni erioed o'r blaen.

A Karli? Criai Karli ei hun i gysgu bob nos oherwydd Papi a Marlene. Ond roedd o'n dod ymlaen yn well o lawer efo Renate na Mutti a finnau a byddai'n dweud hanes ein taith wyrthiol yn dianc ar draws yr Almaen drosodd a throsodd wrthi. Yn y diwedd fe lwyddon ni i gael fflat fechan i ni'n hunain gerllaw. Trefnodd Renate i Mutti gael gwaith dysgu yn ei hysgol hi a chafodd lefydd yno hefyd i Karli a fi. Felly fe aethon ni'n ôl i'r ysgol. Roedd yn rhyfedd bod yn yr ysgol eto a chymaint wedi digwydd. Roeddwn i'n rhy lawn o dristwch erbyn hyn i fedru astudio.

Ond yna daeth y newyddion da o lawenydd mawr, mawr. Roedd Papi'n fyw! Roedd o'n garcharor yn Rwsia ers dros flwyddyn. Wydden ni ddim pryd y byddai'n dod adref, ond roedd o'n fyw a dyna'r peth pwysig. Criodd pawb mewn llawenydd pan glywson ni a gwnaeth Mutti i ni eistedd o amgylch y bwrdd am 'funud teuluol'. Nawr 'mod i'n gwybod fod Papi'n ddiogel, dros Peter yn unig roeddwn i'n gweddïo. Bob tro roedd y postman yn dod, rhedwn allan i'w gyfarfod i ofyn a oedd yna lythyr. Roeddwn yn dal ati i ysgrifennu, yn dal i grefu arno i ateb. Ond ddaeth dim llythyr. Dechreuais anobeithio ynglŷn â'i weld unwaith eto.

Yna un pnawn – ychydig fisoedd yn ddiweddarach – roeddem ar ein ffordd adref o'r ysgol, a newydd fynd o amgylch y tro i'n stryd ni, pan welais fod rhywun yn eistedd ar riniog ein drws efo ces wrth ei ochr. Cododd ar ei draed a thynnu'i het. Peter oedd o. Y drwg oedd fod yn rhaid i mi rannu'r cofleidio efo Mutti a Karli.

"Pam na wnest ti sgwennu?" gofynnais. Nid fod ots am hynny rŵan. Eglurodd Peter yn ddiweddarach nad oedden nhw wedi anfon fy llythyrau ymlaen ar ôl iddo adael Lloegr a mynd yn ôl i Ganada. Yna roedden nhw i gyd wedi cyrraedd ei gyfeiriad yng Nghanada mewn un

parsel mawr. Dyna sut y gwyddai ble i gael hyd i ni.

Efallai eich bod chi wedi dyfalu'r gweddill. Fe briodon ni, yn Heidelberg oedd hynny. Ddylech chi fod wedi clywed y clychau'n canu. Wythnos neu ddwy yn ddiweddarach hwyliodd y ddau ohonom i Ganada. Roedd yn gas gen i adael Mutti a Karli, ond roedd Mutti'n mynnu.

"Ychydig iawn o gyfle ydan ni'n 'i gael am hapusrwydd yn y bywyd hwn," meddai hi. "Cymer o. Dos." Dywedodd Karli wrthyf, fel yr oedd o'n ffarwelio, y byddai'n dod i fyw i Ganada pan fyddai'n hŷn, ac fe ddaeth hefyd. Weithiau mae popeth yn diweddu'n hapus o'r diwedd.

Ond aeth pedair blynedd arall heibio cyn i Papi o'r diwedd ddod adref o Rwsia. Ysgrifennodd Mutti i ddweud ei fod yn denau ond roedd hi'n ei fwydo'n dda ac y bydden nhw, cyn gynted ag yr oedd o'n ddigon da, yn gwneud cais am fisa i ddod i Ganada aton ni yn ein tref fechan heb fod ymhell o Toronto. Felly dyna sut y daethon ni i gyd i fyw yma i Niagara-on-the-Lake. Roedd Peter yn actio yn y theatr yma, yn cael rhannau gwell drwy'r amser. Es innau'n nyrs, fel dy fam, Karli. Roedd bywyd yn braf. Yn oer yn y gaeaf, ond yn braf. Yn heddychlon. Yn fodlon.

Ond nid dyna'r diwedd yn hollol. Un noson o haf – roedden ni tua deugain oed erbyn hyn, mae'n debyg – aeth Peter a finnau i syrcas yn Toronto, syrcas deithiol o Ffrainc. Roedd Peter bob amser yn hoffi gweld y clowniaid. Roedd ganddo siwt glown ei hun, a byddai'n perfformio mewn partïon plant weithiau. Ond yn syth bìn, nid y clowniaid dynnodd fy sylw i. Seren y sioe oedd eliffant. Gwyddwn yr eiliad y gwelais hi mai Marlene oedd hi. A'r peth gwirioneddol ryfeddol oedd ei bod hi'n f'adnabod i. Fel yr oedd hi'n cael ei thywys o amgylch y cylch yn yr orymdaith fawr ar y diwedd, arhosodd yn union o flaen lle roeddwn i'n eistedd ac ymestyn ei thrwnc tuag ata i. Teimlais ei gwynt arnaf. Edrychais i'w llygaid dyfrllyd. Hi oedd hi, af ar fy llw. Doedd dim amheuaeth o gwbl.

Aethon ni i'r cefn ar y diwedd a siarad efo pobl y syrcas. Roedden nhw wedi'i phrynu o syrcas arall ddeng mlynedd yn ôl. Doedd ganddyn nhw ddim syniad o ble roedd hi wedi dod cyn hynny. Roedden nhw'n dweud mai hi oedd yr eliffant gorau roedden nhw wedi'i gael erioed, fod ganddi dipyn o hiwmor. Dywedais ein hanes ni i gyd wrthyn nhw wedyn. Fe grion nhw a ninnau.

Fe dreulion ni oriau hir efo hi y penwythnos honno,

yn siarad efo hi, yn sôn am ein bywyd ni – fod Mutti a Papi wedi marw o fewn misoedd i'w gilydd dro'n ôl bellach, a bod Karli'n actio mewn ffilmiau ac yn medru jyglo o hyd. Y bore roedd y syrcas yn paratoi i adael y dref, roedden ni yno i ffarwelio â hi. Roedden ni'n crio wedyn, wrth gwrs, ond ar yr un pryd, doedden ni ddim yn drist o gwbl, dim ond yn hapus ein bod wedi cyfarfod eto, ei bod hithau'n fyw o hyd fel ninnau, a bod popeth yn iawn efo hi.

Rydw i wedi bod ar fy mhen fy hun ers tro bellach. Yr unig un sy ar ôl. Bu Peter a minnau'n briod am bron i chwe deg o flynyddoedd. Fedra i ddim dweud na fu erioed air croes rhyngon ni. Gawson ni broblemau a thristwch hefyd. Fel pawb arall. Dim plant. Faswn i wedi hoffi fy mhlant fy hun. Ond roedden ni mor hapus ag y gall rhywrai fod. A dyma gwmpawd Peter."

Cynigiodd Lizzie'r cwmpawd i Karl. "Dy gwmpawd di bellach, Karli," meddai hi.

Ceisiais i brotestio, ond rhoddodd o yng nghledr llaw Karl a chau ei fysedd drosto. "Cadw di o," meddai. "Gofala amdano ac edrych ar ôl fy stori i hefyd. Faswn i'n hoffi i bobl wybod amdani. O, a phaid ag anghofio dod â'm halbwm lluniau i mi fory."

Gwelwn ei bod hi wedi llwyr ymlâdd. Rydw i'n meddwl iddi syrthio i gysgu cyn i ni fynd.

Pan ddois i'r gwaith y bore wedyn – doedd dim ysgol oherwydd yr eira – roedd Karl efo mi. Roedd albwm lluniau Lizzie gynnon ni. Eisteddodd y ddau ohonom un bob ochr i'r gwely tra oedd hi'n sôn am bob un o'i lluniau. Un neu ddau lun o'r teulu ar y fferm. Un llun o'r diwrnod y priododd hi yn Heidelberg. Rhai lluniau o Peter mewn dillad actio. Gwahanol luniau o'r ddau ohonyn nhw yn ninas newydd Dresden.

"Ac edrychwch!" meddai hi, yn troi'n fuddugoliaethus i'r dudalen olaf. "Dyma Marlene a fi yn y syrcas y diwrnod hwnnw! Ydach chi'n fy nghredu i rŵan?"

"Dwi wedi'ch credu chi drwy'r amser," meddai Karl wrthi.

"Drwy'r amser?"

"Drwy'r amser," meddai Karl.

"A chi?" meddai Lizzie, yn edrych yn wybodus arna i.

"Bron drwy'r amser," atebais.

Addasiadau eraill gan Emily Huws o nofelau arbennig Michael Morpurgo

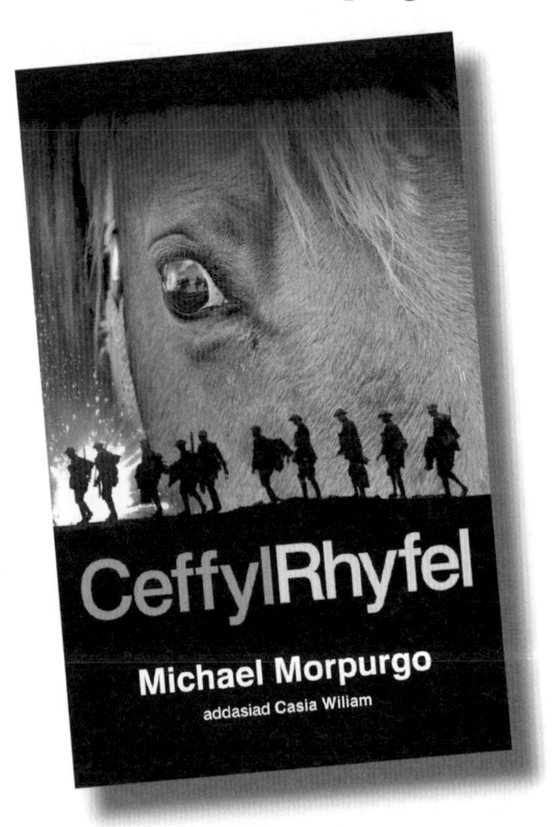

Ceffyl Rhyfel

Stori rymus am fachgen fferm a'i geffyl sy'n cael eu gwahanu ac yna'n cael eu dal ym merw brwydro y Rhyfel Byd Cyntaf.

Llygaid Mistar Neb

Mae Harri mewn helynt yn yr ysgol, ac wedi cymryd yn erbyn ei lystad a'r babi newydd. Yna mae'n dod yn ffrindiau ag Oci, tsimpansî o'r syrcas. Fydd dim ots gan neb os bydd Harri'n cael benthyg Oci am dipyn, na fydd?

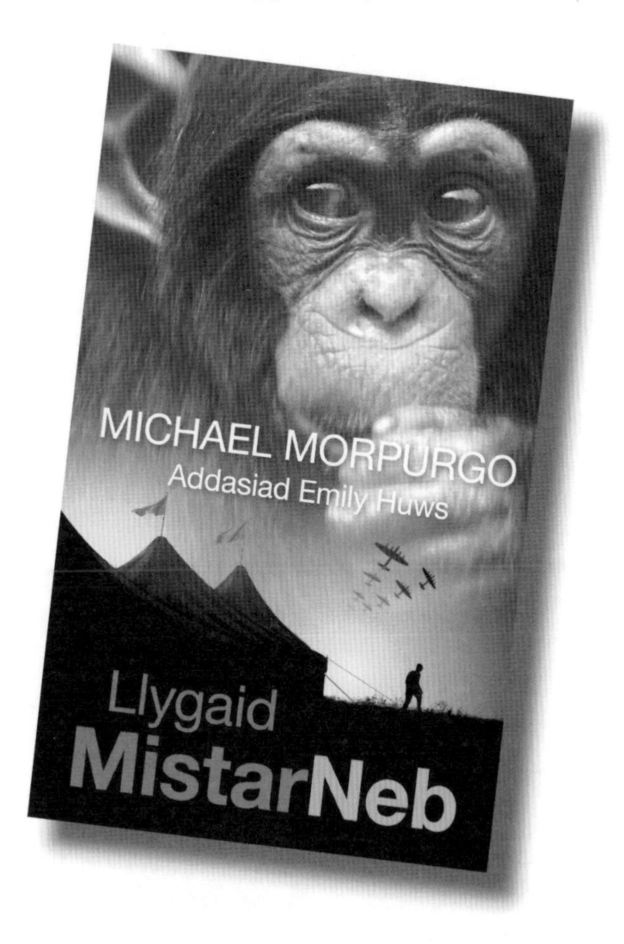